SAINT-PETERSBOURG

SAINT-PETERSBOURG

Textes
Popova Nathalia

Maquette
Koutovoï Nikolaï

Photographes
Antochtchenkov Vladimir,
Baranovski Valentin, Berketov Nikolaï,
Bogdanov Leonid, Chablovski Gueorgui,
Chirokov Vladimir, Chlakan Vladimir,
Chlepkine Evgueni, Davydov Vladimir,
Demidov Pavel, Denissov Vladimir,
Dorokhov Vladimir, Egorovski Vadime,
Filippov Vladimir, Gerkous Leonid,
Gorbatinko Edouard, Gordt Valeri,
Heifets Leonard, Ivanov Pavel,
Jarinova Kira, Kirakozov Arthur,
Manouchine Boris, Melnikov Vladimir,
Molodkovets Youri, Petrosian Alexandre,
Podmetine Serguei, Rakhmanov Nikolaï,
Riazantsev Alexandre, Savik Victor,
Siniaver Evgueni, Tchistobaïev Serguei,
Terebenine Vladimir, Troubski Oleg,
Vorontsov Vassili

Traduit du russe par
Spetchinsky Zinovi

Rédacteurs
Lvova Irina, Kharitonova Irina

Mise en page informatique de
Morozova Elena

Correction des photogravures
Bykovski Viatcheslav, Kniazev Vladimir,
Kondratov Alexandre, Krakovskaïa Tatiana,
Miagkov Alexandre, Trofimov Dimitri

ISBN 5-93893-285-8

Printed and bound in Russia

Saint-Petersbourg, ancienne capitale, orgueil et gloire de l'empire de Russie, fut fondé le 27 mai 1703. L'apparition de cette ville était comme un défi lancé à la nature et aux traditions. Pour réaliser ses idées, Pierre Ier, allant à l'encontre de la « vieille » Russie, engagea la nouvelle génération qui, avec ardeur et confiance, propre à la jeunesse, soutint ses commencements. Saint-Petersbourg devint le symbole d'une nouvelle étape dans l'histoire de la Russie et, sa création, une entreprise grandiose d'une envergure jamais vue. Jetant un défi à la nature, le tsar décida de construire sur cette terre marécageuse et insalubre, tissée de brouillard, son « Paradis » du nord. Saint-Petersbourg devint son occupation principale, « l'enfant chéri de ce géant nordique, de ce titan dans lequel étaient concentrées l'énergie et l'impitoyabilité de la Convention de 93 et sa force révolutionnaire… ce tsar refuta son pays pour mieux le servir et l'humilier au nom de l'européanisme et de la civilisation » (A. Herzen). L'édification de la nouvelle capitale demanda de la part des hommes un véritable « travail égyptien », une concentration d'efforts titanesques. Des milliers de vies humaines furent sacrifiées et c'est peut-être pour cette raison que le destin de Saint-Petersbourg

est marqué de tant de tragédies au cours de ses trois cents ans d'existence. Il connut un grand nombre de cataclysmes naturels et historiques. Durant les épreuves de la guerre, l'ennemi plus d'une fois essaya de conquérir la ville, de l'effacer de la surface de la terre, mais jamais il ne put mettre les pieds sur son territoire. Même le plus terrible blocus jamais vu dans l'histoire de l'humanité, qui dura 872 jours, du 8 septembre 1941 au 27 janvier 1944, ne put rompre la force morale des habitants de la ville.

Durant l'automne, période capricieuse et instable, les intempéries de la saison menacent de déchaîner des tempêtes sur les basses terres du delta. La ville subit trois désastreuses inondations, qui se répétèrent avec une fatalité inéluctable tous les cents ans : 1724, 1824, 1924, et bien d'autres encore moins funestes, qui tentèrent de détruire ce miracle fécondé par l'homme, mais la ville supporta les coups.

Saint-Petersbourg est « la ville la plus étrange de toutes les villes russes ». Il est l'esprit d'un organisme particulier possédant une individualité très marquée, une âme complexe et subtile qui vit une vie secrète et pleine de drames. Aucune ville russe n'est liée à tant de légendes et de traditions. Aucune ville, depuis sa fondation n'a provoqué autant d'appréciations contradictoires, on l'aime et on la déteste, on la glorifie et on la damne, mais tous sont captivés par sa majesté, son aspect magnifique et imposant qui ne laisse personne indifférent. « Quelle ville! Quel fleuve! Il est indispensable de quitter Saint-Petersbourg, indispensable de le quitter pour quelque temps, il est indispensable de visiter les vieilles capitales, le vieux Paris, Londres enfumé, pour apprécier la valeur de Saint-Petersbourg. Quelle unité! Toutes les parties sont assujetties à l'entier et aussi quelle beauté! quel goût! quelle diversité engendrée par la fusion de l'eau et de l'architecture! ». Ces paroles, prononcées au début du XIXe siècle, appartiennent au célèbre poète russe Constantin Batiouchkov qui sentait subtilement la beauté de Saint-Petersbourg.

La ville de Pierre le Grand est aussi la plus « intelligente » parce que « son édification est marquée du sceau conscient de la création ». Elle commença par des idées exprimées sur un plan. Les grands espaces de terre, les lignes sinueuses de la Neva, les canaux devirent les éléments de base de l'urbanisme de Saint-Petersbourg. On n'élevait pas des bâtiments indépendants car on construisait des paysages urbains. Une attention particulière était accordée aux perspectives lointaines. Son aspect unique, incomparable, l'originalité de son architecture nordique peuvent être perçus d'une ma-

B. Patersen.
La place Petrovskaïa.
1806. Gravure

V. Sadovnikov.
*Vue de place entre
la cathédrale Saint-Isaac
et l'Amirauté.* 1847
Aquarelle

Coupe axonométrique
de la cathédrale
Saint-Isaac

*A Saint-Petersbourg,
à la jonction de deux
places de la rive
gauche, les places
Saint-Isaac et des
Décembristes,
se dresse l'édifice de la
cathédrale Saint-Isaac.
Son dôme doré est une
des principales domi-
nantes de l'ancienne
capitale de l'empire
russe. Jadis, par temps
calme, la puissante
voix de son bourdon,
mêlée au carillon
de ses quatre clochers,
atteignait la banlieue
et s'éteignait loin dans
le golfe de Finlande.
Parmi les églises
à dôme, Saint-Isaac
occupe par ses dimen-
sions la quatrième*

place dans le monde après les cathédrales Saint-Pierre de Rome, Saint-Paul de Londres et Santa Maria del Fiore à Florence. Ses dimensions étonnent encore aujourd'hui : hauteur 101,5 mètres, longueur (portiques compris) 111,3 mètres, largeur 97,6 mètres. Le diamètre intérieur de la coupole est de 21,8 mètres et, extérieur, 25,8 mètres. L'édifice est entouré de 112 colonnes monolithes en granit dont les plus grandes sont de 17 mètres de haut et pesant chacune 114 tonnes. La cathédrale peut accueillir près de 14 000 fidèles. L'auteur de ce grandiose projet est l'éminent architecte de la première moitié du XIXe siècle, Auguste Montferrand dont toute la vie créatrice fut entièrement liée à la Russie et où il arriva de France alors âgé de trente ans.

nière particulière lorsqu'on la contemple à vol d'oiseau. L'originalité de la ville réside encore dans sa disposition géographique. Elle se dresse à la limite des terres russes, comme une véritable « fenêtre sur l'Europe ». De l'ouest déferlent sur elle non seulement les vagues automnales des inondations, mais aussi les vagues de tous les bouleversements historiques qui se fomentent à l'Occident. Les vents de la Baltique amènent ici les idées européennes, les joies et les douleurs du « vieux continent ». Saint-Petersbourg fut la ville qui ouvrit hospitalièrement ses portes à tous ceux qui désiraient participer à sa création, à cette entreprise hardie et, pourrait-on dire, d'avant-garde. Son ouverture aux acquis de la culture européenne, aux connaissances et au savoir des étrangers était un des traits distinctifs de la jeune cité. On invitait en Russie des peintres, des architectes, des sculpteurs, des graveurs pour « greffer » sur les terres fangeuses de la Neva, les « plants » des beaux-arts. La beauté s'intégrait à Saint-Petersbourg et s'y assimilait. Les Allemands, Français, Suédois, Hollandais, Italiens, Anglais y vivaient en petites colonies distinctes mais, peu à peu, les barrières nationales, linguistiques,

topographiques disparurent. Et bientôt, dans la ville se forma une nation particulière – petersbourgeoise dans laquelle les étrangers russifiés et les Russes formaient un tout. Pour beaucoup d'étrangers venus s'installer à Saint-Petersbourg, la ville devint pour eux une seconde patrie dans laquelle ils laissèrent leur talent et l'ardeur de leur âme. En collaboration avec les maîtres russes ils participèrent à l'édification de la ville et des majestueuses résidences impériales de campagne de ses environs. D'aucuns considèrent que « Saint-Petersbourg ne possède en soi rien d'original, il est en quelque sorte l'incarnation d'une idée générale propre à toutes les capitales du monde et, comme deux gouttes d'eau, ressemble aux autres capitales du monde » (Vissarion Belinski). Il n'en est pas ainsi. Sous l'influence de l'architecture russe, les formes de l'architecture européenne se transformèrent et apparurent des édifices différents et originaux. Dans les arts, dans la vie courante et sociale de cette ville s'unirent et fusionnèrent les traditions européennes et russes formant, ce que l'on pourrait appeler, la culture pétersbourgeoise. A la différence

Basiolli.
Vue de la Neva à partir de la forteresse Pierre-et-Paul. Années 1830. Lithographie

K. Beggrov.
L'Arc de l'Etat-major 1822. Lithographie

L'église de la Résurrection-du-Christ (du Sauveur « sur le Sang versé »)

L'église de la Résurrection-du-Christ (du Sauveur « sur le Sang versé »). Coupe

L'élévation d'églises en l'honneur de quelque événement mémorial ou historique est une vieille tradition des architectes de l'ancienne Russie. La cathédrale de la Résurrection-du-Christ (dite aussi du Sauveur « sur le Sang Versé ») est un monument célèbre tant du point de vue historique qu'artistique. L'idée de la construction de cette cathédrale fut

des autres capitales européennes, Saint-Petersbourg n'existe sur les cartes que depuis trois cents ans, mais sa beauté est depuis très longtemps célèbre et par sa gloire, il ne le cède en rien aux grandes cités mondiales comme Londres ou Paris. Les touristes visitant la ville relèvent de nombreux points de ressemblance avec d'autres villes européennes. Ses quais font penser à Paris, ses multiples canaux à Amsterdam, ses ponts et la présence de la mer à Venise, ses brouillards et la verdure de ses parcs à Londres. Mais malgré tous ces traits de similitude, Saint-Petersbourg, comme chacune de ces villes, possède sa propre originalité et son propre caractère. L'ayant vu une fois, le touriste en gardera le souvenir de la solennité de ses ensembles architecturaux, la beauté particulière de ses grandes avenues, le charme incomparable de ses « nuits blanches », les jets des fontaines de Peterhof étincelant sur le fond de la verdure des parcs, l'or et le rouge de ses jardins en automne et le givre enveloppant d'un voile blanc toute la ville en hiver. Saint-Petersbourg entra dans le XXIe siècle dans toute sa splendeur impériale, confirmant son renom de musée de l'architecture et de l'urbanisme. Mais, pour ceux qui vivent à Saint-Petersbourg, la ville reste leur maison. Les descendants des bâtisseurs de l'époque de Pierre Ier qui commencèrent à édifier la ville y vivent et y travaillent aujourd'hui. Grâce à leur labeur elle continue de s'agrandir, apparaissent de nouveaux quartiers modernes, au port de Saint-Petersbourg accostent des navires venant des quatre coins du monde. Là où les eaux de la Grande-Neva se fondent avec celles de la Baltique se dresse maintenant la façade maritime de la ville. Mais quels que soient les changements apportés à Saint-Petersbourg, quels que soient les événements historiques qui bouleversent la Russie et qui se répercutent ici, la Neva restera toujours là, témoin séculaire des joies et des peines de tous ses citadins.

approuvée en 1881 par une résolution de la Douma municipale. Les premiers projets furent refutés par Alexandre III qui voulait « que le temple soit construit dans le style purement russe du XVIIe siècle ». Lors de la construction de la cathédrale, l'architecte dut respecter une clause importante et indispensable : il fallait inclure dans le volume intérieur de l'édifice l'endroit sur lequel eut lieu l'attentat.

Vue de la place du Palais prise du toit du palais d'Hiver

LA FORTERESSE PIERRE-ET-PAUL

Durant les premières années, les travaux de construction étaient principalement concentrés sur l'île des Lièvres. On élevait ici une puissante forteresse baptisée Sankt Pieter burgh qui fut le noyau autour duquel allait se développer la future ville. Son emplacement fut choisi par le tsar lui-même qui apprécia la position stratégique de cette petite île sur le delta de la Neva. Un an plus tard, six bastions étaient érigés, en terre évidemment (c'est seulement en 1740 qu'ils furent refaits en pierre) car la question de construire en « dur », vu le manque de matériaux, préoccupait le tsar. Par un oukaze spécial datant de 1714, il interdit en Russie, où que ce soit, hormis à Saint-Petersbourg, de construire en pierre et ordonna à tous les maîtres-tailleurs de venir travailler sur les bords de la Neva. Il introduisit aussi une sorte d'impôt « sur la pierre ». Chaque navire, chaque charrette entrant dans la ville devait obligatoirement apporter une certaine quantité de pierres.

La forteresse, épousant les contours de l'île, devait se composer de six bastions reliés par des courtines formant ainsi une enceinte fermée. La construction de cette fortification était menée sous la surveillance des compagnons d'armes de Pierre Ier. C'est pour cette raison que chaque bastion porte en leur honneur leur nom : Narychkine,

1. La forteresse Pierre-et-Paul à vol d'oiseau

2. L'Aigle impérial de Russie

3. La porte Saint-Pierre.
1714–1718, architecte D. Trezzini,
sculpteurs H. Ossner, N. Pineau

Troubetskoï, Zotov, Golovine, Menchikov. Un des bastions sud se trouvait sous la surveillance personnelle du tsar et reçut en conséquence le nom de bastion du Souverain. Côté est de l'île, dans la courtine reliant ce dernier bastion à celui de Menchikov, furent percés les portes principales de la forteresse. Extérieurement, elles étaient défendues par un ravelin (fortification complémentaire en demi-lune) qui fut baptisé Saint-Jean. Pour pénétrer dans la citadelle, il fallait passer par un pont en bois, dit de Saint-Jean, puis par la porte Saint-Jean et entrer à l'intérieur de l'enceinte par la porte Saint-Pierre (1714–1718, architecte Domenico Trezzini) dont l'arc fut orné d'un aigle bicéphale en plomb, pesant plus d'une tonne, ornement qui nous est parvenu dans un état parfait. En 1787, tous les travaux de revêtement en granit des murs de la forteresse furent terminés. Sur le bastion Narychkine on installa une tour de signalisation avec mât pour drapeaux. Ici se trouvait aussi un

3

4. Le pont Saint-Jean
et la porte Saint-Jean

canon qui tous les jours, à midi, annonçait aux habitants par une salve, le milieu
de la journée, tradition qui se perpétue
aujourd'hui encore.

Non loin de la cathédrale se dresse la
maison du Commandant (années 1740)
dans laquelle habitaient tous les comman-
dants de la forteresse. Au cours de deux
cents ans, trente-deux personnalités occu-
pèrent cette demeure. La nomination à ce
poste était très honorifique et souvent à vie.
Il était accordé à des généraux ayant fait
leurs preuves au combat et en qui le tsar
avait une entière confiance. Dans une des
pièces de la maison du Commandant, actuellement salle Mémoriale, siégeait le Tri-
bunal suprême et s'effectuait enquêtes et
interrogatoires des prisonniers politiques in-
carcérés dans la forteresse. Ici, le 12 juillet
1826, fut prononcer la sentence de mort aux
cinq Décembristes. Ils étaient les organisa-
teurs du premier soulèvement contre l'ab-
solutisme, pour l'instauration d'un régime
constitutionnel et les droits de l'homme.

5. Le bastion Troubetskoï

7

6, 7, 9. La cathédrale Saints-Pierre-et-Paul.
1712–1733, architecte D. Trezzini.

8. Le Grand carillon flamand

9

LA CATHÉDRALE SAINTS-PIERRE-ET-PAUL

Le principal édifice de la forteresse est la cathédrale Saints-Pierre-et-Paul (1712–1733, architecte Domenico Trezzini). Par sa construction elle fait penser à un navire du XVIIIe siècle : la proue étant le haut mur du sanctuaire et le mât, la flèche. Dans l'édification de cette basilique et dans son décor intérieur se mêlent, fait assez typique pour le Saint-Petersbourg d'alors, différentes traditions de l'architecture cultuelle, européennes et russes anciennes. Ainsi, l'intérieur est décoré d'une magnifique iconostase en bois sculpté, élément inhérent à toute église orthodoxe, mais d'une conception ne répondant pas à tous les canons et d'une chaire, en bois sculpté également, élément propre aux églises catholiques. Inhabituelle pour un temple orthodoxe est la présence sur son clocher d'une horloge avec carillon (35 cloches). Ce clocher, surmonté d'une flèche terminée par la figure d'un ange qui protège la ville, s'élève à une hauteur de 122,5 mètres. A l'époque, c'était la plus haute construction

8

10, 11. Cathédrale Saints-Pierre-et-Paul.
Iconostase. Icônes : la *Reine Bethsabée*,
Saint Alexandre Nevski.
Milieu du XVIIIe siècle,
peintres A. Protopopov, A. Pospelov

12. La chaire et la stalle du tsar

13. Intérieur de la cathédrale

14, 16. L'iconostase.
1722–1729, sur un projet
de l'architecte I. Zaroudny

15. La Croix vivifiante
de l'autel. Reconstituée
en 1994–1995 selon les plans
de A. Nartov. Ivoire, bois,
bronze ; dorure

14

15   16

17

18

19

existant en Russie. La figure de l'ange est, en fait, une girouette montrant la direction du vent. Aujourd'hui, l'horloge a été rénovée. Le carillon joue deux fois par jour *Que Dieu sauve le Tsar* et *Glorieux est notre Seigneur* à chaque heure. En 2001, le Grand Carillon fut également restauré. Les cloches et le clavier de cet " orgue de cloches " unique en Russie furent exécutés en Hollande. Le projet a été financé aussi bien par la Flandre et par des organisations publiques que par des particuliers du monde entier. Le premier carillonneur titulaire de Saint-Pétersbourg est le musicien belge J. Hasen.

L'intérieur de la cathédrale, conçu comme une salle de parade, est divisé en trois nefs par des piliers. Son principal élément décoratif est l'iconostase en bois sculpté et doré (1722–1729, projet de Domenico Trezzini et Ivan Zaroudny). La partie centrale de l'iconostase, en forme d'arc de triomphe, devait symboliser l'idée de la victoire des armées russes dans la guerre du Nord. L'opulence et la solennité des formes architecturales de cette iconostase combinées à son décor sculptural donnent un extraordinnaire effet décoratif propre aux monuments artistiques du style baroque. Derrière les portes saintes de l'iconostase, au-dessus de l'autel, s'élève un ciborium richement ouvragé dont le prototype serait celui en bronze du Bernin dans la basilique Saint-Pierre de Rome.

La cathédrale Saints-Pierre-et-Paul abrite une fort belle collection de peintures de l'époque pétrovienne qui entre dans la composition de l'iconostase. Ce sont 43 icônes placées dans un ordre qui n'est pas celui, canonique, des autres iconostases des églises orthodoxes russes du XVIIe siècle. Dans la partie droite de l'iconostase, dite « masculine », sur les dix-sept icônes qui l'ornent, treize représentent des personnages bibliques. Dans la partie gauche « féminine » sont représentées des femmes. Les portes Saintes de l'iconostase sont aussi inhabituelles. Composées de quatre vantaux, elles s'ornent seulement d'un bas-relief représentant la Cène et ne possèdent aucune icône.

Près des premiers piliers de droite, dans les années 1830, on établit ici la place de prière de l'empereur se composant d'un siège en bois sculpté avec baldaquin placé sur podium. Du baldaquin descend un ri-

20

deau en velours framboise. La partie supérieure de son cadre est ornée d'un motif en bois sculpté représentant un coussin sur lequel reposent les insignes du pouvoir impérial. En face de la place du tsar se dresse une chaire décorée des sculptures des apôtres saint Pierre et saint Paul et des quatre évangélistes avec leurs symboles.

La cathédrale est le lieu où sont inhumés tous les empereurs russes. Ils reposent sous des sarcophages en marbre blanc tous identiques. Seuls ceux d'Alexandre II et de son épouse Maria Alexandrovna, née

17. Monument funéraire de Pierre Ier

17. Monument funéraire de Pierre Ier

18. J.-M. Nattier. *L'empereur Pierre Ier*. 1717

19. N. Lavrov. *L'empereur Alexandre II*. 1860

20. Monuments funéraires d'Alexandre II et de Maria Alexandrovna

21. L'empereur Nicolas II avec sa famille. 1904. Photographie

22. Chapelle Sainte-Catherine de la basilique Saints-Pierre-et-Paul. Tombeau où sont ensevelis les restes de l'empereur Nicolas II, de l'impératrice Alexandra Feodorovna, de leurs enfants et de leurs serviteurs

21

22

23

23. Nikolaï Gay.
*Pierre le Grand interroge
son fils, le tsarevitch
Alexis, à Peterhof.* 1871

24. La prison du bastion
Troubetskoï

25. Constantin Flavitski.
*La Princesse
Tarakanova.* 1864

26–29. Feodor
Dostoïevski, Vera
Figner, Alexis Gorki,
Léon Trotski figurent
parmi les détenus
de la forteresse

24

princesse de Hesse-Darmstadt, sont en jaspe de l'Oural exécutés par les ouvriers des mines ouraliennes, en reconnaissance de l'abolition du servage. En 1998, ici furent déposés les restes du dernier empereur de Russie, Nicolas II, et des membres de sa famille, tous fusillés, en juillet 1918, à Ekaterinbourg.

La forteresse Pierre-et-Paul ne fut jamais utilisée dans sa fonction directe car l'ennemi avait toujours été arrêté loin de ses murs. Une dizaine d'années après sa construction, elle commença à servir de prison pour les détenus politiques. Durant deux siècles dans ses bastions et casemates furent enfermés les ennemis du pouvoir régnant. Au sud-ouest de l'enceinte fut élevé un ravelin qui reçut le nom de Saint-Alexis et c'est de cet endroit, qu'en premier lieu, est liée la triste gloire de la forteresse Pierre-

et-Paul. En février 1718, c'est-là que furent emprisonnés le fils de Pierre Ier, le tsarévitch Alexei, et ses complices.

Au cours du XVIIIe siècle de nombreuses personnalités subirent le calvaire de cette prison. En 1775, une nouvelle prisonnière fut incarcérée sur ordre de Catherine II dans la prison de la forteresse. C'était la princesse Tarakanova qui se faisait passer pour la fille de l'impératrice Elisabeth et donc la petite-fille de Pierre le Grand. Selon la légende, qui se trouve à l'origine de ce tableau, elle aurait trouvé la mort pendant une inondation quoique en réalité elle fût emportée par la

25

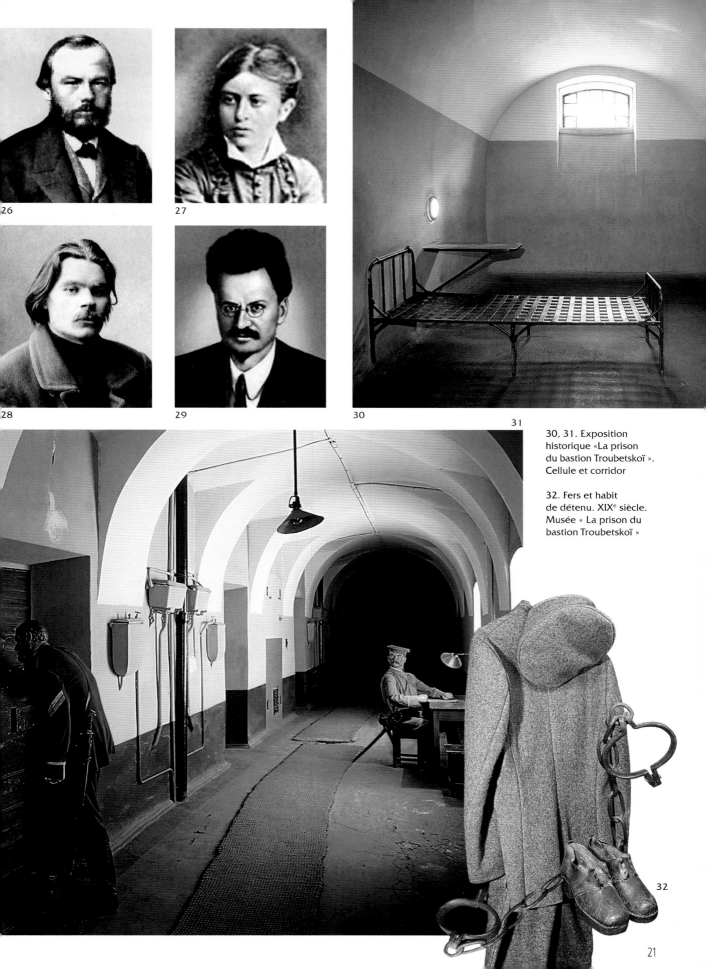

26

27

28

29

30

31

30, 31. Exposition
historique «La prison
du bastion Troubetskoï ».
Cellule et corridor

32. Fers et habit
de détenu. XIXᵉ siècle.
Musée « La prison du
bastion Troubetskoï »

32

21

tuberculose. Au XIXᵉ siècle les cellules des bastions et de la maison Secrète du ravelin Saint-Alexis construite sous Paul Iᵉʳ, ne restaient jamais vides. En 1849, ici furent internés tous les membres du groupe Boutachevitch-Petrachevski, parmi lesquels se trouvait Feodor Dostoïevski, alors âgé de 28 ans. Un autre lieu d'internement de la forteresse était la prison du bastion Troubetskoï. Ceux qui mouraient dans leur cachot à l'odeur nauséabonde et suintant d'humidité, entendaient avant l'ultime moment, la douce mélodie du carillon de la cathédrale. Les derniers prisonniers politiques du bastion Troubetskoï, de 1917 à 1919, furent le ministre du gouvernement Provisoire et les grands-ducs. Ils furent tous fusillés lors de la « Terreur rouge » dans le portique de la cathédrale Saints-Pierre-et-Paul. Actuellement, la prison du bastion Troubetskoï est un musée.

En 1992, sur le parterre devant l'édifice de la Garde, fut installé une statue de Pierre Iᵉʳ due à Mikhaïl Chemiakine que le public appréhende de différentes manières. En effet, cette figure est très lointaine de celle du tsar-réformateur, du tsar-victorieux que l'on a coutume de voir dans la statuaire monumentale.

33. Pierre le Grand. 1992, sculpteur M. Chemiakine

34. Le bastion Narychkine

35. Vue sur la Pointe de l'île Vassilievski et la forteresse Pierre-et-Paul

33

36

L'ÎLE VASSILIEVSKI

Lorsqu'en 1712, fut signé l'oukaze sur le transfert de la cour du tsar, de Moscou sur les bords de la Neva, la construction de la ville commença à être menée selon le plan préalablement établi par les architectes étrangers et russes où un rôle important était dévolu à l'artère principale – la Neva. A Saint-Petersbourg tout est uni et divisé par la Neva. De l'est, en mai, elle accompagne vers le golfe les glaces du lac Ladoga poussées par les vents froids du nord-est. Depuis l'époque de Pierre Ier la Neva est reliée par canaux au bassin du grand fleuve russe, la Volga. Il semble qu'avec les vents d'est arrive à Saint-Petersbourg tout ce qu'endure l'immense

Russie qui s'étire jusqu'à l'océan Pacifique. Le long de son cours la Neva change souvent de caractère. Entre les ponts du Lieutenant-Schmidt et Toutchkov jusque vers le monastère du Smolny, elle est solennelle et majestueuse. Dans ses eaux se mirent toutes les beautés architecturales du vieux Saint-Petersbourg. Avant ces ponts et après la cathédrale du monastère du Smolny, la

Neva devient laborieuse. Elle est bordée de grues portuaires, de navires amarrés et d'usines aux cheminées fumantes.

Le centre de la future cité devait se trouver sur l'île Vassilievski. Pierre Ier aimait particulièrement Amsterdam et il rêvait que sa nouvelle capitale lui soit semblable. Il était prévu que l'île Vassilievski serait dotée d'un réseau de canaux-rues qui assècheraient

36. Panorama de la Neva et la Pointe de l'île Vassilievski

37

38

37. Vue de la forteresse Pierre-et-Paul
prise de la Pointe de l'île Vassilievski

38. Vue de la Pointe de l'île Vassilievski
prise du quai du Palais

ce territoire marécageux. Ce travail ne fut pas terminé. D'ouest en est passent les trois perspectives : Bolchoï, Sredny et Maly coupant à angle droit 31 Lignes (nom donné à chaque côté de la rue et portant un numéro) de direction nord-sud débouchant toutes d'un côté sur la Neva. Durant cent ans, ici se trouvait le port maritime en témoignent aujourd'hui seulement les anneaux d'amarrage scellés dans les murs de granit du quai. La Pointe de l'île Vassilievski reçut une décoration adéquate incarnant le rôle de Saint-Petersbourg en tant que capitale maritime de l'empire.

39, 40. Colonne rostrale.
1805–1810, sculpteurs
G. Camberlain, F. Thibault ;
1810, architecte
J.-F. Thomas de Thomon

41

42

43

BOURSE ET KUNSTKAMMER

Le centre de la composition architecturale de la Pointe de l'île Vassilievski est
occupé par le bâtiment de la Bourse, temple périptère d'ordre dorique se dressant
sur un haut stylobate, le « Parthénon de Russie ». Sur la place artificiellement élargie par
des travaux de remblayage, s'élèvent deux
Colonnes rostrales symbole de la souverai-
neté de la Russie sur la mer. A leur pied
sont placées des statues personnifiant quatre fleuves russes : la Neva, la Volga, le
Dniepr et le Volkhov. Les feux à leur sommet ne s'allument aujourd'hui que les jours
de fête en tant que partie de l'illumination
de la ville. Entre 1724 et 1734, sur l'île apparut le long bâtiment des Douze collèges,
le premier grand édifice administratif de la
ville. Il était destiné aux douze départe-
ments gouvernementaux et devait refléter
leur autonomie mais, en même temps, la
communauté des problèmes de l'Etat pour
tous les Collèges. En 1819, les bâtiments
furent transmis à l'université nouvellement
instituée. L'édifice des Douze collèges est
perpendiculaire à la Neva. Le premier bâtiment avec façade tournée vers la Neva,
construit sous Pierre Ier, fut la Kunstkammer,
premier musée de la ville. Actuellement, il
abrite les collections du musée d'Ethnographie et d'Antropologie Pierre le Grand.

45

46

44

41, 42. Exposition
du musée d'Ethnographie
et d'Antropologie
Pierre le Grand

43. Institut de la
Littérature (Maison
Pouchkine), ancien
bâtiment de la Douane.
1829–1832, architecte
G. Luchini

44. Vue du quai
de l'Université.
La Kunstkammer.
1718–1734, architectes
G. Mattarnovi,
G. Chiaveri, M. Zemtsov

45. La Bourse (musée
de la Marine de guerre).
1805–1816, architecte
J.-F. Thomas de Thomon

46. Exposition du musée
de la Marine de guerre
dans l'édifice de
la Bourse

47. Peintre anonyme du XVIIIe siècle. *Portrait d'Alexandre Menchikov*

48. Palais Menchikov. La Grande salle

49. Le palais Menchikov. Années 1710–1720, architectes G. Fontana, G. Schädel

50. Quai de l'Université. Débarcadère devant l'académie des Beaux-Arts. 1832–1834, architecte C. Thon. Sphinx (Egypte, XIIIe s. av. J.-C.)

47

48

49

LE PALAIS MENCHIKOV

Au premier tiers du XVIIIe siècle, sur l'île Vassilievski apparut la première grande résidence de la capitale appartenant au compagnon d'armes de Pierre Ier et premier gouverneur de la ville, Alexandre Menchikov. Il n'en reste actuellement que le palais. Dans ce palais, unique alors à Saint-Petersbourg, étaient organisées les réceptions des ambassadeurs et les fameuses « assemblées ». La vie de Menchikov se termina d'une façon tragique. En 1727, deux ans après la mort de Pierre le Grand, il fut accusé de dilapidation des Fonds. Destitué, il fut déporté avec sa famille en Sibérie où bientôt il mourut. Sa résidence fut confisquée au profit de la Couronne.

50

51. Salles des Moulages antiques du musée de l'académie des Beaux-Arts de Russie

52. Square Roumiantsev. Obélisque « Aux victoires de Roumiantsev ». 1799, architecte V. Brenna, sculpteur P. Agie

53. L'académie des Beaux-Arts. 1764–1788, architectes J.-B. Vallin de La Mothe, A. Kokorinov

51

52

L'ACADÉMIE
DES BEAUX-ARTS

Le classicisme entra pour la première fois dans l'architecture russe avec l'édification de l'académie des Beaux-Arts, bâtiment achevant le panorama du quai de l'Université. L'édifice fut élevé après la fondation de l'académie (1757). C'était aussi la première institution de ce profil en Russie qui joua plus tard et, continue aujourd'hui de jouer, un rôle important dans le développement de l'art russe et la formation de peintres, sculpteurs et architectes.

Au cours du premier tiers du XIXe siècle devant l'académie des Beaux-Arts fut aménagé un débarcadère. Depuis 1834, le quai devant le majestueux édifice de l'académie est gardé par deux sphinx au visage d'Aménophis III, pharaon qui mena l'Egypte à l'apogée de sa puissance.

53

54

L'ÎLE VASSILIEVSKI –
PORT MARITIME
DE SAINT-PETERSBOURG

L'abondance de l'eau, le vaste ciel au-dessus des basses et monotones terres coupées par de nombreux cours d'eau, dictèrent le « ton » de l'organisation architecturale de Saint-Petersbourg, son rythme spatial, et déterminèrent l'originalité de son édifi-

55

56

cation. La Neva devenait la « Grand-rue » le long de laquelle se construisaient les maisons placées sur une même ligne épousant les courbes de son lit. En aval du pont Lieutenant-Schmidt, les cargos et les pétroliers « mer-rivière », les paquebots chargés de touristes s'amarrent au quai de l'île Vassilievski et au quai des Anglais. Il arrive que passe ici l'hiver l'un des derniers grands voiliers. Mais en tout temps, sur la Neva, on peut voir des restaurants flottants à l'allure d'anciens voiliers. Quelque fois aussi Petersbourg

devient le rassemblement de la régate internationale « Cutty Sark » et alors la Neva se remplit de voiles et les façades des palais des quais semblent striées dans toutes les directions par des mâts et leurs haubans.

En face de l'institut des Mines est amaré à perpétuité le célèbre brise-glace « Krassine » qui prit part en 1930 au sauvetage de l'expédition d'Umberto Nobile. Actuellement c'est un musée. Du portique de l'institut s'ouvre une vue sur le chantier naval de la Baltique, l'un des plus grands de Russie.

54. Vue du pont Lieutenant-Schmidt prise du qual Lieutenant-Schmidt

55. Quai Lieutenant-Schmidt. Monument à l'amiral I. Krusenstern. 1873, sculpteur I. Schrëder

56. Vue du quai des Anglais prise du pont Lieutenant-Schmidt

57. La régate internationale « Cutty Sark »

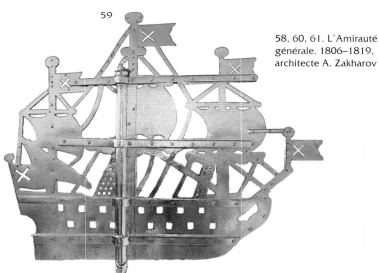

58, 60, 61. L'Amirauté
générale. 1806–1819,
architecte A. Zakharov

Une commission spéciale fut chargée d'établir un plan d'urbanisation de cette parcelle. C'est alors que l'architecte Piotr Eropkine eut l'idée d'une planification radiale de ce quartier. Il proposa de tracer trois artères en éventail partant de l'Amirauté : les actuelles perspectives Nevski et Voznessenski et la rue Gorokhovaïa. A cette époque, l'architecte Ivan Korobov, conservant l'ancienne planification en « U » des bâtiments de l'Amirauté pétrovienne,

59. Frégate-girouette
coiffant la flèche
de l'Amirauté

62. Quai de l'Amirauté.
Pierre Ier – charpentier.
1880, sculpteur
L. Bernstamm

58

L'AMIRAUTÉ

En 1704, sur l'île de l'Amirauté qui se déploie sur la rive gauche entre la Neva et la Moïka au sud, Pierre Ier, selon ses propres croquis, ordonna la construction d'un chantier naval. Ce dernier et la forteresse Pierre-et-Paul constituaient la base du plan compositionnel de la ville. Dans les années 1730, un terrible incendie ravagea complètement cette cité ouvrière.

60

remplaça les bâtisses en bois des entrepôts et ateliers par des édifices en pierre.
Selon son projet, on éleva encore une
tour surmontée d'une haute flèche dorée
(72 mètres) coiffée d'une girouette en forme de frégate à trois mâts.

Au début du XIXᵉ siècle, Andrian
Zakharov entama la reconstruction com-
plète de l'Amirauté. La nouvelle Amirauté (1806–1823) devait devenir une sorte
de monument original à la gloire de la Flotte russe. Pour cette raison, son entrée principale fut conçue en forme d'arc de triomphe, motif qu'il répéta sur les façades des
deux pavillons latéraux symétriques tour-
nés sur la Neva. Dans la composition architecturale de l'édifice, le décor sculptural joue un rôle important, nous faisant
découvrir la fonction de l'Amirauté. La syn-
thèse entre l'architecture et la sculpture,
une des idées dominantes du classicisme,
fut ici, pour la première fois, admirable-
ment appliquée par Zakharov. La sculpture y est employée sous toutes ses formes,
des statues en ronde bosse aux décors en
bas-relief, mais toutes réunies par un
même thème – la glorification de la puissance maritime de la Russie.

LA PLACE DES DÉCEMBRISTES

Le chantier naval était limité à l'est et à l'ouest par deux places, celle du Palais et celle qui plus tard prendra le nom de Sénat et, aujourd'hui, des Décembristes. Au cours du XVIIIᵉ siècle, la place s'appelait Petrovskaïa, baptisée ainsi car, en 1782, fut inauguré ici un monument à Pierre le Grand, le premier monument équestre de Saint-Petersbourg. Ce monument est le symbole de toute une époque dans l'histoire de la Russie. Falconet créa ici son œuvre la plus parfaite qui fut chantée par le grand poète russe Alexandre Pouchkine

64

63

dans son poème intitulé *Le Cavalier d'airain*. Il incarna dans cette figure l'esprit de la liberté et la volonté inflexible, inébranlable du tsar-restaurateur, réformateur et législateur. Falconet écrivait : « Mon tsar ne tient aucun sceptre, il tend sa dextre protectrice sur le pays qu'il traverse. Il grimpe sur le rocher lui servant de piédestal, rocher qui incarne les obstacles qu'il a surmontés ». Le monument s'avère le centre compositionnel de la place et sa silhouette expressive se regarde à n'importe quelle distance et sous n'importe quel point d'observation.

Au cours du premier tiers du XIXᵉ siècle, suite à la construction des grandioses
édifices du Sénat et du Saint-Synode, la
place fut rebaptisée en place du Sénat.
Rossi relia les deux édifices par un arc en-
jambant la rue des Galères créant ainsi un
bel ensemble architectural. L'appellation
actuelle date de 1923 en souvenir des événements dont elle fut le théâtre. Le 14 décembre 1825, près de la statue de Pierre Iᵉʳ,
se rangèrent les régiments qui participaient
à la première protestation organisée contre le servage et pour la liberté des droits.

63. Monument à Pierre Iᵉʳ (« Le Cavalier d'airain »).
1782, sculpteur E. Falconet

64. Les bâtiments du Sénat et du Saint-Synode.
1829–1836, architecte C. Rossi

65. La place des Décembristes (du Sénat)

LA PLACE SAINT-ISAAC
LA CATHÉDRALE SAINT-ISAAC

En même temps que l'on bâtissait la cathédrale, on entama la reconstruction de la place Saint-Isaac qui, peu à peu, acquit l'aspect que nous lui connaissons aujourd'hui. Ce temple devait être le plus grandiose et le plus magnifique de l'empire. Cet édifice, de 101,5 mètres de haut, occupant un territoire de un hectare, nécessita d'énormes dépenses et un travail titanesque. Selon les canons grecs, l'édifice se termine par une grande coupole cantonnée de quatre plus petites. Parmi

66. La place Saint-Isaac.
Monument à Nicolas Ier. 1856–1859,
sculpteur P. Klodt, architecte A. Montferrand.
La cathédrale Saint-Isaac. 1818–1858,
architecte A. Montferrand

les églises à dôme, par ses dimensions, elle occupe la troisième place au monde après la basilique Saint-Pierre de Rome et la cathédrale Saint-Paul de Londres.

Sur un projet de Montferrand, en 1817–1820, du côté de la façade orientale de la troisième église Saint-Isaac, fut érigé le solennel édifice de l'hôtel particulier des Lobanov-Rostovski. De plan triangulaire, ce bâtiment occupant un quartier, participe à l'aménagement spatial de la place, du boulevard de l'Amirauté et de la perspective Voznessenski. Les façades de ce palais donnant sur la place Saint-Isaac et sur l'Amirauté sont rehaussées de puissants portiques placés sur des arcades.

67. L'icône miraculeuse de la Vierge de Tikhvine

68. Statues décorant la colonnade extérieure du dôme

69. Vue de la partie sud-est de la nef

70. L'iconostase principale

Sur ce lieu, l'actuelle cathédrale Saint-Isaac est la quatrième placée sous ce vocable et sa construction dura quarante ans (1818–1858, architecte Auguste Montferrand). De plan rectangulaire, le corps est agrémenté de quatre portiques à colonnes qui visuellement agrandissent son volume déjà considérable. Extérieurement et intérieurement il est décoré de motifs sculptés (leur nombre dépasse 350). L'intérieur de la cathédrale (4000 mètres carrés) étonne par la profusion de ses dorures et la diversité de son revêtement en marbre, par ses nombreuses peintures et ses admirables mosaïques.

Un rôle important dans son décor intérieur fut attribué au marbre coloré, à la malachite, au lazulite et à la dorure donnant encore plus d'opulence et de solennel. Cependant l'accent principal était octroyé à la sculpture, aux peintures et à la mosaïque harmonieusement agencées à l'architecture.

71. Tambour de
la coupole centrale.
Détail

Le décor du tambour de la coupole centrale et des pendentifs est particulièrement impressionnant. Un intérêt particulier présentent les mosaïques. L'idée première était de ne pas utiliser de toiles peintes, compte tenu de la difficulté d'assurer dans cet immense espace une température normale et stable, mais de réaliser un décor basé uniquement sur la mosaïque. Les mosaïques qui ornent les murs sont d'une technique absolument parfaite ce qui fut mentionné lors de leur présentation à l'Exposition Universelle de Londres en 1862.

72. Le sanctuaire

73. *Saint Nicolas*. Mosaïque d'après l'original de Timothée Neff. Iconostase

74. Le plafond et le tambour de la coupole centrale

75. La chapelle Sainte-Catherine

74

73

75

A l'est de la place, se dressent deux bâtiments : les hôtels « Astoria » et « Angleterre ». L'« Astoria », qui se trouve au coin de la place et de la rue Bolchaïa-Morskaïa, fut élevé sur l'emplacement d'anciennes maisons de rapport. Lorsqu'en 1911, l'architecte Feodor Lidval présenta son projet du nouvel hôtel, on lui demanda de « couper » l'angle de l'édifice à partir du premier étage pour que le bâtiment ne ferme pas la vue de la place à la maison située de l'autre côté de la rue. Dans les années 1840, la place fut élargie après l'achat par le Trésor de cinq bâtiments sur la Bolchaïa-Morskaïa, sur l'emplacement desquels l'architecte Nikolaï Efimov éleva deux édifices symétriques pour le ministère des Biens de l'Etat.

76. Cathédrale Saint-Isaac. Automne

77. Le monument à Nicolas Ier et le palais Mariinski vus de la cathédrale Saint-Isaac

78. Le palais Mariinski.
1839–1844, architecte
A. Stackenschneider

79. La salle Rouge

80. T. Neff.
*Portrait de la grande-
duchesse Maria
Nikolaïevna.*
1850–1860

81. Eglise palatine
Saint-Nicolas-de-Myre

79

LE PALAIS MARIINSKI

Au centre de la place Saint-Isaac, s'élève un monument à Nicolas Ier. Le modèle de la statue équestre fut réalisé, et même coulé, par Piotr Klodt. Les calculs mathématiques précis du sculpteur permirent d'utiliser deux points d'appuis seulement pour le campement du cheval. La silhouette de la monture et de son cavalier se perçoit parfaitement de tous les points d'observation de la place. La haute qualité de la réalisation de cette sculpture et le choix de son emplacement font de ce monument un véritable chef-d'œuvre.

A la place Saint-Isaac s'incluent aussi le pont Bleu, le plus large de la ville (97,3 mètres), et l'ancienne place du palais Mariinski dont l'aspect était déterminé par le palais du même nom, offert par Nicolas Ier à sa fille aînée, Maria Nikolaïevna (d'où son nom : Mariinski), en qualité de cadeau de noces. Actuellement, il est le siège du Conseil municipal de Saint-Petersbourg.

LA PLACE DU PALAIS L'ERMITAGE

La place du Palais fut baptisée ainsi au milieu du XVIIIe siècle lorsque, en bordure de sa partie septentrionale, fut élevé le palais d'Hiver, résidence des empereurs de Russie de 1763 à 1917. Le palais d'Hiver, construit dans l'opulent style baroque, se distingue aussi par le dynamisme et l'expressivité de ses formes. C'est un bâtiment de plan carré enfermant une vaste cour d'honneur. On y accédait du côté de place par une grande grille ajourée en fer forgé. Les multiples colonnes et demi-colonnes, pilastres, sculptures décoratives en forme de vases et de figures féminines placées sur le pourtour du toit, les nombreuses fenêtres décorées de petits frontons et les ressauts rythmant ses façades, tout cela donne au palais une élégance somptueuse.

82. Le palais d'Hiver. 1754–1762, architecte F. Rastrelli
La colonne Alexandre. 1834, architecte A. Montferrand, sculpteur B. Orlovski

83. L'ange couronnant la colonne Alexandre

83

84

Aujourd'hui, le palais d'Hiver fait parti du complexe architectural du musée de l'Ermitage qui se compose de cinq édifices. Pour l'accrochage de sa collection de tableaux sans cesse croissante, Catherine II ordonna la construction d'un nouveau bâtiment qui devait jouxter le palais d'Hiver. Suite au Petit Ermitage, Velten éleva encore le Viel Ermitage, nom qui fut attribué à ce bâtiment au milieu du XIXe siècle, après la construction, côté rue Millionnaïa, du monumental Nouvel Ermitage destiné à recevoir les collections considérablement enrichies entre temps et qui, en 1852, devint « muséum public ».

La fondation de l'Ermitage en tant que musée remonte à l'an 1764, date conventionnelle bien sûr, mais qui marque la première acquisition par Catherine II d'une collection de tableaux. Actuellement, les collections de l'Ermitage, qui se formèrent durant plus de deux siècles, comprennent environ 3 millions d'articles d'exposition.

84. Le palais d'Hiver
vu à vol d'oiseau

85. F. Rokotov.
*Portrait de l'impératrice
Catherine II.*
Fin des années 1770

Les intérieurs du palais d'Hiver, à part quelques exceptions, n'ont pas conservés leurs décorations initiales car, en 1837, le palais fut presque entièrement ravagé par un terrible incendie. L'escalier d'Honneur (du Jourdain ou encore des Ambassadeurs) du palais d'Hiver, en marbre blanc et double révolution, nous est parvenu presque sans changement dans l'aspect qu'il avait au XVIIIe siècle. La décoration du salon de Malachite nous est presque entièrement parvenue. Les colonnes de malachites aux bases et chapiteaux en bronze doré se combinent avec beaucoup d'effets aux vanteaux dorés des portes et à l'ornement du plafond. La salle Saint-George ou Grande salle du Trône fut reconstituée par Vassili Stassov en 1842. Cette salle de 800 mètres carrés, éclairée par des baies placées sur deux niveaux, étonne par sa monumentalité et sa magnificence. Elle est bordée sur son périmètre d'une colonnade de marbre. Le dessin ornemental du parquet se compose de seize essences différentes. La Petite salle du Trône ou salle Pierre le Grand fut également reconstruite en 1842 par Vassili Stassov. Consacrée à la mémoire de Pierre Ier, elle était destinée aux petites réceptions. Ses murs sont tendus de velours brodé d'argent. Dans la niche, sur un podium, se dresse le trône en argent doré exécuté en Angleterre et, au-dessus, un tableau représentant Pierre Ier accompagné de la déesse Minerve (années 1730, par J. Amiconi).

86. Palais d'Hiver.
L'escalier d'Honneur
(du Jourdain).
1754–1762, architecte
F. Rastrelli ; 1838–1839,
architecte V. Stassov

87. Le salon de Malachite.
Fin des années 1830 –
début des années 1840,
architecte A. Brullov

88. La salle Pierre Ier
(Petite salle du Trône).
1833, architecte
A. Montferrand ; 1842,
architecte V. Stassov

89

90

91

Dans le décor de la salle du Pavillon du Petit Ermitage se marient harmonieusement des motifs des styles de la Renaissance, du classicisme et oriental (mauresque). Actuellement, dans la salle du Pavillon sont exposés un ensemble de tables en mosaïque du milieu du XIXe siècle et l'horloge du Paon, œuvre du célèbre mécanicien et orfèvre anglais du XVIIIe siècle, James Coxe et ouvrage sans doute le plus original du musée. Elle fut achetée en Angleterre en 1788 par Grigori Potemkine. Ramenée en Russie en pièces détachées, elle ne put être reconstituée que par l'ingénieur Ivan Koulibine. Cette horloge, plutôt destinée à divertir qu'à montrer les heures, est un mécanisme fort complexe se composant des figures animées d'un paon, d'un coq, d'un hibou et d'un écureil. Le cadran indiquant l'heure et les minutes est caché dans la tête du champignon.

89–91. Salle du Pavillon. Horloge *Le Paon*. Seconde moitié du XVIIIe siècle. Par James Coxe, Angleterre

92. Le Boudoir. Années 1850–1860, architecte H. Bosse

93. Le salon Doré. 1839, architecte A. Brullov

94. La salle du Pavillon. 1850–1858, architecte A. Stackenschneider

92

94

Les œuvres de l'école italienne attirent toujours un nombre considérable d'amateurs d'art. Les visiteurs s'arrêtent immanquablement devant les chefs-d'œuvre qui font la gloire de l'Ermitage tels la *Madone Conestabile* de Raphaël, la *Judith* de Giorgione, le *Saint Sébastien* de Titien, le *Jeune homme au luth* du Caravage, *l'Adoration des Mages* de Véronèse et la *Naissance de saint Jean-Baptiste* du Tintoretto. Cependant, deux tableaux encore, orgueils du musée, retiennent l'attention. Ceux sont la *Madone Benois* et la *Madone Litta*, peints par l'éminent maître de la Renaissance, Léonard de Vinci.

95. La salle Léonard de Vinci.
1858–1860, architecte A. Stackenschneider

96. Giorgione (Giorgio da Castelfranco).
1478 (?)–1510. *Judith*. Années 1500

97. Léonard de Vinci. 1452–1519
Madone à la fleur (Madone Benois). 1478

98. Léonard de Vinci. 1452–1519
Madone à l'Enfant (Madone Litta). 1490

99

100

La collection de peintures hollandaises et flamandes de l'Ermitage occupe une des premières places au monde par sa qualité et sa pleinitude. Composée de plus de vingt tableaux, la collection des Rembrandt de l'Ermitage est à juste titre considérée comme unique au monde. Datant de différentes années, *Le sacrifice d'Abraham*, *Flore*, *David et Jonathan*, *Danaé*, *La Sainte Famille*, *David et Urie* marquent des jalons dans l'œuvre de Rembrandt et expriment son credo artistique. Le *Retour du fils prodigue* est comme un point final, une conclusion dans la vie du peintre, maintenant solitaire et ayant perdu tous ses biens, mais toujours capable de créer. L'exposition de l'Ermitage présente des toiles de presque tous les peintres hollandais de renom : Adriaen van Ostade, Gerard Terboch, Willem Claesz Heda, Willem Kalf, Jacob van Ruysdael et maints autres.

L'école de peinture flamande se distingue par une rare intégrité. La collection qui compte plus de cinq cents tableaux illustre parfaitement les particularités de l'une des plus importantes écoles du XVIIᵉ siècle où figurent plus de cent quarante noms. La collection des toiles de Rubens, qui peuvent presque toutes être qualifiées de chefs-d'œuvre, comprend plus de quarante ouvrages.

99. Rembrandt Harmensz.
van Rijn. 1606–1669
*Le Retour de l'Enfant
prodigue.* 1668–1669

100. La salle Saint-Georges
(Grande salle du Trône).
1795, architecte
G. Quarenghi ; 1842,
architecte V. Stassov

101. La Petite Verrière.
1842–1851,
architecte L. von Klenze

102. Pierre Paul Rubens.
1577–1640
*L'Union de la Terre
et de l'Eau.* Vers 1618

103. Etienne-Marice
Falconet. 1716–1791
L'Amour menaçant. 1758

Hors les frontières de la France il n'existe pas de collections de peintures françaises capables de rivaliser avec celle de l'Ermitage ni par le nombre des œuvres ni par leur qualité. Elle occupe plus de cinquante

10

104

105

104. Pierre Auguste Renoir.
1841–1919
Jeune fille à l'éventail. 1881

105. Claude Monet.
1840–1926
Meule de foin à Giverny.
1886

106. Pablo Picasso.
1881–1973
*Femme à l'éventail
(Après le bal).* 1908

107. Edgar Degas.
1834–1917
Femme se peignant.
Vers 1885–1886

108. Paul Gauguin.
1848–1903
*Eu haere ia oe.
Femme au fruit.* 1893

109. Henri Matisse.
1869–1954
La Danse. 1910

110. Vincent Van Gogh.
1853–1890
Buisson de lilas. 1889

108

109

de deux collections particulières amassées par les célèbres industriels et mécènes Sergei Chtchoukine et Ivan Morozov.

Les toiles de Monet, Pissarro, Sisley, Renoir exposées à l'Ermitage se rapportent aux périodes de l'établissement et de l'épanouissement de la peinture impressionniste. Ces peintres ouvrirent de nouvelles possibilités dans la transmission de la lumière, cherchant à saisir l'instant fugitif, à fixer sur la toile les effets de la lumière changeante en peignant le même motif à des heures différentes. Ils cherchaient aussi à se libérer des contraintes traditionnelles de l'art classique, à ouvrir la voie à toutes les innovations du XXe siècle, à renover la peinture en allégeant la palette, à capter dans la vie quotidienne une impression passagère sans toutefois renoncer aux acquis des grands maîtres des époques passées.

En même temps que les impressionnistes travaillaient Cézanne, Van Gogh et Gauguin qui assimilèrent leurs méthodes mais s'en séparèrent assez rapidement pour aboutir à un art que l'on appelle communément post-impressionnisme. Leurs recherches de nouvelles formules d'expression les menèrent à une compréhension de la forme qui engendra au XXe siècle l'art d'avant-garde.

salles du palais d'Hiver, présentant pratiquement tous les styles et mouvements de l'art français d'après ses meilleures œuvres. Catherine II, grande amatrice du style français, en acquit la majeure partie. Les services en porcelaine de Sèvres, l'énorme réunion de tentures, meubles, objets en argent et bronze confèrent une atmosphère particulière aux salles exposant l'art français. L'exposition consacrée aux principaux mouvements qui virent le jour dans la seconde moitié du XIXe – début du XXe siècle : impressionnisme, post-impressionnisme, fauvisme, cubisme et autres, se déploie dans les salles du deuxième étage du musée. La collection de l'Ermitage englobant cette période est mondialement connue. Elle se forma au début du XXe siècle autour

110

111

112

113

111. Lécythe *Arthémis avec un cygne*.
Début du Ve siècle avant J.-C. Attique.
Par le Maître de Pan

112. Peigne du tumulus de Solokha.
IVe siècle av. J.-C.

113. Nouvel Ermitage.
La salle des Vingt colonnes.
1842–1851, architecte L. von Klenze

114. *Vénus de Tauride*.
Copie romaine d'un original grec
du IIIe siècle av. J.-C.

115. Applique en forme de cerf.
Fin du VIIe – début du VIe siècle avant J.-C.
Tumulus de Kostromskaïa, Caucase du Nord

116. Le Petit canal d'Hiver

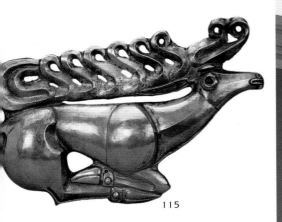

115

Les salles du rez-de-chaussée du Nouvel Ermitage sont consacrées à l'art antique. Ici sont exposées de très intéressantes collections de portraits sculptés romains et de sculptures décoratives, d'ouvrages de la glyptique antique, d'objets en or découverts dans des tertres du littoral nord de la mer Noire et un fort bel ensemble de vases peints. Le modèle le plus parfait incarnant l'idéal de la beauté antique que possède l'Ermitage est une statue de Vénus, dite de Tauride, copie d'un original datant du IIIe siècle av. J.-C. Dans la galerie des Trésors sont conservés des ouvrages en métaux précieux réalisés par des artistes vivant il y a deux, trois ou plus millénaires avant notre ère. A ces objets uniques se rapportent les ouvrages composant ladite collection Sibérienne de Pierre Ier. On y ver-

117

116

ra un grand nombre de boucles de ceinture décorées de pâte de verre coloré et de turquoises représentant des animaux stylisés s'affrontant. Un intérêt particulier présentent les monuments de la culture scythe des VIIe–IIIe siècles av. J.-C. qui furent découverts dans le bassin du Kouban.

117. Nouvel Ermitage. Le portique aux Atlantes. 1848, architecte L. von Klenze, sculpteur A. Terebeniev

L'ensemble de la Place du Palais se constitua en 1819–1829, lorsque Carlo Rossi éleva en face du Palais d'Hiver l'édifice monumental de l'Etat-Major. Malgré la différence des styles, l'architecte sut réunir les deux bâtiments en un tout harmonieux. L'ensemble comprend en outre la colonne monolithe de granit érigée en 1834 par Auguste de Montferrand et le bâtiment de l'Etat-Major du corps de la Garde (par Alexandre Brullov). L'une des plus belles à Saint-Pétersbourg, la Place du Palais, tel un diadème précieux, couronne la Capitale du Nord de la Russie.

118. Place du Palais.
Edifice de l'Etat-major.
1819–1829, architecte C. Rossi

LA PERSPECTIVE NEVSKI

Droite comme une flèche, la perspective Nevski est l'artère principale de Saint-Petersbourg. Son tracé apparut au cours de la première décade de l'existence de la ville, mais ce territoire ne s'aménagea que très lentement car les principaux travaux de construction étaient menés principalement le long des rives de la Neva et sur l'île Vassilievski. En 1738, la perspective Nevski, reçut son appellation officielle et fut choisie comme la principale artère de la nouvelle cité. Une avenue est en règle générale proportionnée et possède une certaine intégrité. Tous les bâtiments, bien que construits à des époques différentes, possèdent une hauteur à peu près identique. Cela était dû au fait qu'après l'érec-

119

120

tion du palais d'Hiver, un oukaze, daté de 1762, règlementait la hauteur de toutes les maisons en pierre qui ne devaient pas dépasser celle du palais impérial. La parution de cette restriction était dictée par la raison suivante : sur le toit du palais d'Hiver se trouvait une tour dans laquelle on accrochait des lanternes selon un certain code, disposition que les nombreuses autres tours de relais répétaient jusqu'aux résidences de campagne. Grâce aux signaux lumineux de ces « sémaphores », on annonçait le départ des souverains pour leur villégiature ou leur retour. Autrement dit, aucun mur ou toit ne devait entraver le « passage » de ces signaux. A la fin du XIXe siècle, la perspective Nevski devint la rue des

121

122

123

affaires, la grande rue commerçante du Petersbourg bourgeois. Les négociants et les actionnaires de sociétés cherchaient à acheter ou à louer des locaux sur le Nevski. Les plus riches achetaient des parcelles, démolissaient les anciennes constructions et commandaient aux architectes de nouvelles dans le goût du jour. Ces édifices, bâtis selon les dernières techniques, devaient non seulement montrer la puissance de la société, mais répondre à l'esthétique du temps. Comme exemple citons la maison de commerce de la société « Singer ». La tour de Suzor était l'incarnation du Petersbourg entrant dans le nouveau siècle en tant que capitale d'un empire en pleine puissance.

124

119. Maison de la compagnie « Singer ».
Groupe sculpté coiffant la coupole.
1902–1904, sculpteurs A. Ober, A. Adamson

120. Vue de la perspective Nevski
et du canal Griboïedov (Ekaterininski) prise
de la cathédrale Notre-Dame de Kazan
Maison de la compagnie « Singer ».
1902–1904, architecte P. Suzor

121. La perspective Nevski vue
du toit du magasin Elisseïev

122. Vue de la perspective Nevski

123. Vue de l'hôtel « Europe »
prise de la galerie du Gostiny Dvor

124. Faîtage décoratif du toit du magasin
Elisseiev

LA CATHÉDRALE NOTRE-DAME DE KAZAN

La colonnade masquant le massif du corps de la cathédrale Notre-Dame de Kazan, donne à l'édifice une étonnante légèreté et une grande solennité. Ses ailes se terminent par des portiques monumentaux ouverts. Les intérieurs de la cathédrale étonnent aussi par leur légèreté et leur majestuosité. L'espace est divisé par une double colonnade formant trois nefs qui donne à l'ensemble un caractère civil de palais. La nef centrale domine sur les collatéraux par sa largeur et sa longueur. La lumière qui se déverse des baies du tambour de la coupole augmente l'impression d'espace. Les colonnes monolithiques en porphyre avec leurs chapiteaux et bases de bronze doré finement ciselé accentuent la magnificience intérieure de la cathédrale. Les meilleurs sculpteurs et peintres de Russie prirent part à son ornementation en faisant d'elle un « temple des arts russes ».

Le feld-maréchal Mikhaïl Koutouzov est enseveli dans la cathédrale et, dans le square devant la façade nord, se dresse un monument en son honneur.

La cathédrale abrite une relique de l'Eglise orthodoxe russe – l'icône de la Vierge de Kazan. Cette image sainte accompagna Koutouzov dans ses campagnes militaires, c'est avec elle que furent bénis les soldats russes avant la bataille de Borodino.

28

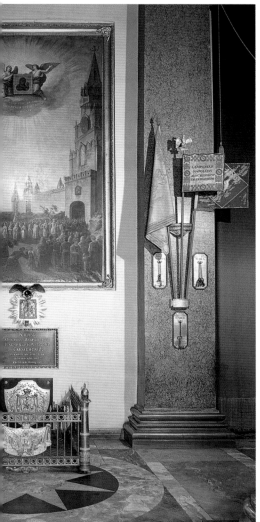

130

129

125. La cathédrale Notre-Dame de Kazan. 1801–1811, architecte A. Voronikhine

126. Monument au feld-maréchal M. Koutouzov. 1837, sculpteur B. Orlovski

127. Cathédrale Notre-Dame de Kazan. Croisillon nord. Tombeau du feld-maréchal M. Koutouzov

128. Cathédrale Notre-Dame de Kazan. Icône de la *Vierge de Kazan*

129. Intérieur de la cathédrale

130. Canal Griboïedov. Pont de la Banque. Griffons

APPARTEMENT-MUSÉE
D'ALEXANDRE POUCHKINE

Sur les quais de la Moïka il existe encore quelques beaux palais de la fin du XVIIIe – début du XXe siècle. Parmi eux, il en est un particulièrement cher aux cœurs de tous les Russes car lié au nom du plus grand poète national, Alexandre Pouchkine. Ici, dans l'ancien palais de la princesse Volkonskaïa se trouve le

133

dernier appartement où vécut Pouchkine avec sa famille, du mois de novembre 1836 jusqu'au jour de sa mort, le 29 janvier 1837. Aujourd'hui, le palais, au 12, quai de la Moïka, est entièrement occupé par le musée mémorial Alexandre Pouchkine.

131

132

134

35

136

131. O. Kiprenski.
Portrait d'Alexandre Pouchkine. 1827

132. Appartement-musée d'Alexandre Pouchkine.
Le Salon

133. A. Brullov.
Portrait de Nathalia Pouchkina. 1832

134. Appartement-musée
d'Alexandre Pouchkine. Le cabinet du poète

135. Vue de l'Appartement-musée
d'Alexandre Pouchkine au 12, quai de la Moïka

136. Montre d'Alexandre Pouchkine.
Années 1810. Or, argent, gravures.
Elle fut arrêtée à l'instant de sa mort

137

LE MUSÉE RUSSE

La rue Mikhaïlovskaïa relie la perspective Nevski à la place des Arts (ancienne place Mikhaïlovskaïa) où s'incarnèrent les idées urbanistes du génial architecte Carlo Rossi. Ce dernier transforma la partie abandonnée et déserte de l'ancien jardin d'Eté en un des plus beaux lieux de la ville. Le principal édifice et ornement de la place devint le palais Mikhaïlovski (1819–1825) appelé du nom de son propriétaire, le grand-duc Mikhaïl Pavlovitch, frère cadet d'Alexandre Ier. La place des Arts est aussi un monument à l'époque de Pouchkine, le « siècle d'or » de la culture russe. C'est pourquoi, au centre du square, en 1957, fut élevé un monument au grand poète Alexandre Pouchkine réalisé par l'éminent sculpteur pétersbourgeois Mikhaïl Anikouchine.

Le 13 avril 1895, l'empereur Nicolas II signa le décret n° 420 : *Sur la fondation d'un établissement spécial portant le nom de Musée russe de l'Empereur Alexandre III avec la mise à sa disposition à cet effet du palais Michel avec tous les pavillons attenants, les dépendances et les jardins.* Trois ans après, le 7 mars 1898, les portes

138

139

74

140

du palais Michel s'ouvraient aux premiers visiteurs du musée d'art national, le premier en Russie. De grands travaux de reconstruction y furent effectués pour adapter les salles du palais à leur nouvelle fonction. Cependant, certaines salles conçues par Rossi ne furent pas touchées et nous sont parvenues dans leur état originel. Il en est ainsi du Vestibule et de l'escalier d'Honneur, mais la plus intéressante s'avère la salle Blanche qui conserva non seulement son décor polychrome, mais aussi son mobilier exécuté sur des dessins de l'architecte Rossi. A l'époque de son ouverture, dans les salles du musée étaient exposés 445 toiles, 111 sculptures et 981 dessins et aquarelles. Lors de son centenaire, ses collections se

137. Le musée Russe (palais Mikhaïlovski). 1819–1825, architecte C. Rossi

138. Monument à Alexandre Pouchkine. 1957, sculpteur M. Anikouchine

139. La salle Blanche

140. Le palier supérieur de l'escalier d'Honneur

141. Artiste anonyme.
Portrait d'Alexandre III.
1880–1890

142. K. Brullov.
1799–1852
*Le Dernier jour
de Pompéi.* 1833

143. Icône *Saint Georges
terrassant le dragon.*
XVe siècle

144. Musée Russe.
La Grande salle
Académique. 1999

145. I. Aïvazovski.
1817–1900
La Neuvième vague.
1850

146. I. Repine. 1844–1930
*Les Zaporogues écrivent
une lettre au sultan
de Turquie.* 1880–1891

147. V. Sourikov.
1848–1916
*La Prise du château
de neige.* 1891

148. I. Chichkine.
1832–1898
Bois de mâture. 1898

se détache un jeune cavalier imberbe sur sa blanche monture. Dans sa main droite il tient une lance avec laquelle il transperce le terrible dragon. La vénération de saint Georges, en l'honneur duquel se fondaient des monastères et s'élevaient des églises, fait partie de la culture de l'ancienne Russie. En 1898, le musée présentait les tableaux transférés de l'Ermitage, de l'académie des Beaux-Arts et de quelques résidences de campagne. Ainsi, de l'Ermitage entrèrent le célèbre tableau de K. Brullov *le Dernier jour de Pompéi*, la vaste toile de F. Bruni *le Serpent d'airain*, ainsi que l'importante toile d'Ivan Aïvazovski *la Neuvième vague*.

chiffraient déjà à plus de 400 mille articles d'exposition (peintures, sculptures, arts graphiques, art décoratif et populaire).

Le musée Russe possède une très belle collection de peintures russes anciennes. Parmi les icônes, quelques-unes sont absolument exceptionnelles comme celles de *l'Ange aux cheveux d'or* et de *Saint Georges terrassant le dragon*. Saint Georges est sans doute l'un des saints le plus vénéré et le plus populaire en Russie. Ce type iconographique du saint nous montre la force et la puissance acquisent par la Foi. Sur un fond écarlate (couleur de l'Eternité)

145

146

7

148

149

151

150

Mikhaïl Vroubel et autres. L'orgueil du musée est sa collection d'œuvres de peintres de l'avant-garde russe dont les toiles présentent toutes les tendances et courants et toutes les nouvelles idées esthétiques qui apparurent en ce début de siècle. Parmi ces œuvres, des ouvrages dus au pinceau de maîtres mondialement connus comme : Marc Chagall, Wassili Kandinsky, Pavel Filonov et Kazimir Malevitch. Kandinski est le fondateur de la peinture abstraite. Il fut le premier à découvrir de nouveaux moyens d'expression de la spiritualité, libérée de la matérialité. Filonov développa sa propre méthode de transfor-

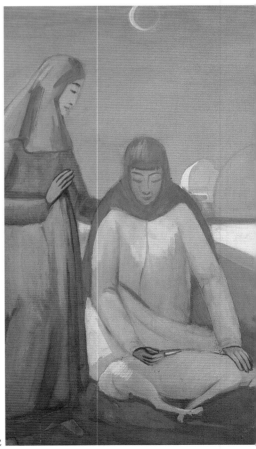

La magnifique collection de peintures de la seconde moitié du XIXe siècle – début du XXe, se forma après la révolution d'Octobre 1917, lorsque les nombreuses collections privées, nationalisées, furent transmises au musée Russe. L'exposition s'enrichit des toiles d'Ilia Repine, Vassili Sourikov, Ivan Chichkine, Nikolaï Roerich,

152

154

155

156

mation de la réalité qu'il appela « art analytique ». Le monde réel soumis à l'analyse de son pinceau se transforme sur ses toiles en un univers créé par l'énergie du créateur. Kasimir Malevitch découvrit le suprématisme, une dérivée de l'abstraction géométrique. Selon Malévitch, le suprématisme se divise en trois parties correspondantes au nombre de ses carrés – noir, rouge et blanc. « Le principe de leur construction a pour base principale un but d'économie – d'une surface plane transmettre la force du statique ou le calme visuel du dynamisme » (K. Malevitch).

149. N. Roerich.
1874–1947
Les Hôtes étrangers. 1902

150. M. Chagall.
1887–1985
Promenade. 1917

151. Z. Serebriakova.
1884–1967.
Le Bain. 1913

152. P. Kouznetsov.
1878–1968
Tonte de moutons

153. B. Koustodiev.
1878–1927
Marchande buvant son thé. 1918

154. K. Malevitch.
1878–1935
La Cavalerie rouge. 1918

155. K. Malevitch.
1878–1935
Portrait de femme.
Vers 1930

156. L. Popova.
1889–1924
Homme + air + espace

157. W. Kandinsky.
1866–1944
Crépuscule. 1917

157

LA PLACE OSTROVSKI

Sans conteste, le chef-d'œuvre d'urbanisme de Carlo Rossi s'avèrent l'ensemble architectural de la place Ostrovski s'ouvrant sur la perspective Nevski et la rue aux proportions harmonieuses partant de cette place et reliant une autre, plus petite, portant le nom de Lomonossov. Au début, à l'est de la place Ostrovski, apparurent deux petits pavillons, servant d'arsenal au palais Anitchkov. A la construction de ce palais prirent part plusieurs architectes dont Rastrelli. Il était destiné à l'impératrice Elisabeth Petrovna qui l'offrit à son favori, le comte Razoumovski (selon la légende, ils se seraient mariés secrètement).

En 1832, la construction du bâtiment central de l'ensemble projeté par Rossi, le théâtre Alexandrinski, magnifique monument du classicisme russe, était achevée. Sa façade principale, au niveau du premier étage, est agrémentée d'une colonnade. L'attique est couronné d'un quadrige monté par Apollon, l'inspirateur des muses et, sous lui, en bas-relief, le fronton s'orne de deux Gloire ailées.

Au centre du square, en 1873, fut dressé un monument à Catherine II. Aux pieds de l'impératrice sont représentés ses contemporains célèbres. Outre le Gostiny Dvor, au croisement de la perspective Nevski et de la rue Malaïa Sadovaïa, se trouve une non moins célèbre maison de commerce :

158. Monument
à Catherine II. 1873,
sur un projet de
M. Mikechine, sculpteurs
A. Opekouchine,
M. Tchijov

159. Rue de l'Architecte-
Rossi

160. Le théâtre
Alexandrinski.
1828–1832,
architecte C. Rossi

161. Le magasin
Elisseïev. 1902–1903,
architecte G. Baranovski

162. Vue prise du
quadrige monté par
Apollon du théâtre
Alexandrinski

le magasin appartenant à l'un des repré-
sentants d'une dynastie de négociants,
Grigori Elisseïev. Dans cet édifice se trouve aussi le théâtre de la Comédie portant
le nom du metteur en scène N. Akimov.

161

162

163

164

LE PONT ANITCHKOV

Le pont Anitchkov fut construit en 1715 sur ordre de Pierre Ier sur la grande route d'alors reliant la capitale aux autres routes de l'empire et s'avérait l'un des premiers ponts de la ville. Son appellation lui vient du nom du lieutenant-colonel qui dirigeait son édification. Au cours de son existence le pont changea plusieurs fois d'aspect suivant les matériaux qui étaient utilisés. Avant 1785, il était en bois et, en 1841, il acquit à peu près l'allure que nous lui connaissons aujourd'hui. Le pont est décoré de quatre groupes équestres réunis sous un même thème : « le dressage des chevaux ». Ce monument, possédant une grande valeur artistique, est un exemple unique dans l'histoire des arts russes où l'auteur de l'idée, le sculpteur Klodt, réalisa les modèles et effectua personnellement leur coulage.

165

166

163, 165. Le pont
Anitchkov. 1785, ingénieurs
I. Gerard, P. Sukhtelen ;
1841, ingénieur I. Buttats,
architecte A. Brullov (grille)

164. Pont Anitchkov.
Groupe sculpté
« Le Dressage des
chevaux ». 1841–1850,
sculpteur P. Klodt

166. Le palais Belosselski-
Belozerski. 1847–1848,
architecte
A. Stackenschneider

167. L'escalier d'Honneur

168, 169. Le salon Doré

167

169

168

LE PALAIS BELOSSELSKI-BELOZERSKI

Au coin de la perspective Nevski et de la Fontanka se dresse le palais Belosselski-Belozerski. Le premier propriétaire de ce palais fut le comte Alexandre Belosselski-Belozerski, descendant d'une famille de princes kiéviens et du prince Belosselski qui s'enrola au service de Pierre Ier. Ce dignitaire de l'époque de Catherine II était fort cultivé, possédait maints talents et collectionnait des œuvres d'art. Le dernier propriétaire du palais fut le grand-duc Dimitri Pavlovitch. Actuellement, le palais Belosselski-Belozerski, complètement restauré, est occupé par le Centre municipal de la Culture.

170

171

17

LE CHAMP-DE-MARS

170. Le Champ-de-Mars vu du toit du château Mikhaïlovski

171. Le centre de la ville vu à vol d'oiseau

172. Monument au généralissime Alexandre Souvorov. 1801, sculpteur M. Kozlovski

Le Champ-de-Mars s'étendait dans la direction nord-sud sur 500 mètres et d'est en ouest, sur 300 mètres. Le square sur le Champ-de-Mars n'apparut qu'en 1924, après que sur l'esplanade furent inhumés les victimes de la révolution de 1917 et sur ce lieu élevé un monument dû à l'architecte Lev Roudniev. Le Champ est sé-paré de la Neva par une place au centre de laquelle se dresse la statue d'Alexandre Souvorov. Initialement, cette statue, qui fut commandée personnellement par l'empe-reur Paul Ier, devait être érigée sur la place devant le château Mikhaïlovski. Mais bien-tôt, Souvorov, suite à son caractère indé-pendant, déplut au capricieux empereur et, pour cette raison, il fut décidé que le mo-nument serait placé sur le Champ-de-Mars.

L'ÉGLISE DE LA RÉSURRECTION-DU-CHRIST (DU SAUVEUR « SUR LE SANG VERSÉ »)

La construction de l'édifice, les travaux de son aménagement et de son ornementation durèrent vingt-quatre ans (1883–1907). L'empereur Alexandre III approuva le projet présenté par l'architecte Alfred Parland assisté de l'archimandrite Ignati (I. Malychev). C'est à ce religieux qu'appartient l'idée du plan général de la cathédrale en forme de cinq pétales ouverts comme ceux des immortelles et son vocable. Dans l'architecture et l'ornementation, Parland décida d'utiliser les formes et les procédés caractéristiques de la cathédrale Saint-Basile-le-Bienheureux de Moscou que l'on considérait comme un symbole de l'architecture populaire russe.

Les contraintes canoniques et surtout du lieu de la construction dictèrent les particularités architecturales de la cathédrale de la Résurrection-du-Christ. Ainsi l'édifice ne possède pas, comme il se doit, d'entrée côté ouest. L'accés s'effectue par les portes nord et sud du clocher.

173. L'église de la
Résurrection-du-Christ
(du Sauveur
« sur le Sang versé »).
1883–1907, architectes
A. Parland et
l'archimandrite
Ignati (I. Malychev)

174. Coupoles
de l'église de la
Résurrection-du-Christ

175. *La Crucifixion.*
Mosaïque d'après
un carton de A. Parland.
Base du clocher

176. La nef centrale
et le ciborium

177. La nef centrale
vue du ciborium

178. E. Botmann.
*Portrait de l'empereur
Alexandre II.* 1856

176

177

178

179. *Le Christ
Pantocrator.*
Mosaïque d'après
un carton
de N. Kharlamov.
Coupole centrale

180. *La Sainte princesse Alexandra
et Sainte Marie-Madeleine.*
Mosaïques d'après des cartons
de N. Bodarevski. Iconostase

181. *Jésus invitant Matthieu
à le suivre.* Mosaïque d'après un carton
de A. Riabouchkine. Mur nord

La hauteur de la cathédrale de la Résurrection est de 81 mètres pour une superficie de 1642,5 mètres carrés. Dans la création du décor monumental prirent part des tailleurs de pierres, peintres, mosaïstes, céramistes et émailleurs. Dans le décor extérieur fut largement employée la mosaïque ; les coupoles furent recouvertes d'émaux d'orfèvrerie et les toits pyramidaux, de tuiles polychromes.

Une grande valeur artistique et un intérêt particulier présentent ses 308 mosaïques, occupant une superficie totale de 6560 mètres carrés. C'est-là un ensemble unique au monde. Outre les sujets iconographiques religieux, dans cette technique sont réalisées les armoiries des villes et des provinces russes, que l'on peut voir sur les murs de l'édifice du clocher. L'assemblage des mosaïques fut confié à des ateliers russes et à quelques sociétés étrangères. Les cartons étaient exécutés par toute un équipe de peintres qui comptait plus de 25 personnes. Victor Vasnetsov

182

créa les panneaux intérieurs du *Sauveur* et de *la Vierge à l'Enfant*. Mikhaïl Nesterov exécuta celui de *la Sainte Face avec des saints* et la composition de *la Résurrection* sur les façades ainsi que d'autres mosaïques à l'intérieur. Nikolaï Kharlamov réalisa 42 mosaïques dont le *Christ Pantocrator* du plafond de la coupole. A la réalisation des mosaïques prirent part également Andrei Riabouchkine et Vassili Beliaev. A l'intérieur, il n'existe aucune peinture murale, les murs sont presque entièrement tapissés de mosaïques.

La représentation de l'Eucharistie, type liturgique de la Cène, dévoile le sens sacramentel du rite de la Communion (Eucharistie) à la différence du type historique qui montre le moment où Jésus-Christ prédit la trahison de Judas. Dans cette *Eucharistie*, le Christ, de la main droite, offre le pain à ses disciples (« Ceci est mon Corps ») et de la main gauche, tend une coupe de vin (« Ceci est mon Sang, le Sang de l'Alliance qui est répandu pour nous »).

182. *L'Eucharistie*. Mosaïque d'après un carton de N. Kharlamov. Mur du sanctuaire

183. Iconostase

183

184

LE CHÂTEAU MIKHAÏLOVSKI

Le château tire son nom de l'église palatine placée sous le vocable de l'archange saint Michel, le chef des armées célestes. Son aspect reflète les lugubres fantaisies romantiques de son propriétaire, Paul Ier. Il était entouré de fossés remplis d'eau et l'accès au château s'effectuait par des ponts-levis. Chaque façade possède son propre caractère architectural. Derrière les fenêtres du premier étage se trouve la salle où, le 11 mars 1801, l'empereur fut tué. Le château joua son rôle de résidence impériale durant 40 jours seulement. En 1823, il fut cédé à l'école militaire du Génie et le bâtiment fut alors appelé château des Ingénieurs. C'est ici, que de 1837 à 1842, étudia Dostoïevski. Cet écrivain le plus « pétersbourgeois » d'entre ses confrères, n'aimait pas cette ville et, encore moins, son fondateur et critiquait l'européanisation de la Russie que le tsar avait entreprise. Devant le château, sur la place d'armes, se dresse un monument à Pierre le Grand réalisé par Carlo Rastrelli, le père de l'éminent architecte. Le modèle de cette sculp-

ture fut en son temps approuvé par l'empereur, mais sa réalisation en bronze et sa mise en place durèrent très longtemps. C'est seulement sous Paul Ier, en 1800, qu'il fut installé et porte la dédicace : « A l'arrière-grand-père, l'arrière-petit-fils ».

186

185

187

184. Panorama de Saint-Petersbourg vu du toit du château Mikhaïlovski

185. Le château Mikhaïlovski. 1784–1800, architectes V. Bajenov, V. Brenna

186. S. Chtchoukine. *Portrait de Paul Ier*. 1800

187. Façade sud

188. Monument à Pierre Ier. 1800, sculpteur B. Rastrelli

189. Château Mikhaïlovski. Eglise de l'Archange-saint-Michel

188

189

190

191

192

LE JARDIN D'ETÉ

Pierre Ier construisait dans le delta de la Neva, non une simple ville et non une simple capitale. Il rêvait de créer ici un « Paradis » que depuis les temps reculés on assimilait à un jardin merveilleux. Le plus vieux jardin de la ville et, pourrait-on dire, le plus ancien « paradis » des bords de la Neva s'avère le jardin d'Eté, monument unique de l'art des jardins du XVIIIe siècle. Sous Pierre Ier, dans le jardin se trouvait une authentique sculpture antique. Les autres statues (environ 200, dont il n'en reste que 91) étaient des œuvres principalement de sculpteurs italiens du XVIIIe siècle. Erigée au début du XVIIIe siècle, la « galerie sur piliers de marbre et pavement de marbre » fut remplacée par une magnifique grille en fer forgé, exécutée sur des dessins de Youri Velten, tenue par des colonnes de granit

3

194

195

surmontées de vases. « La plus belle grille du monde » fut placée à la limite nord du jardin le séparant du bruyant quai du Palais. En 1711–1712, dans le coin nord-est du jardin, fut édifié le palais d'Eté de Pierre Ier. Répondant aux goûts de son propriétaire, son aménagement rappelle une maison hollandaise. Une de ses façades est tournée sur la Neva, l'autre sur la Fontanka.

190. Le jardin d'Eté vu du toit du château Mikhaïlovski

191. Jardin d'Eté. Sculpture *Cérès*, original vénitien du début du XVIIe siècle Sculpteur T. Quellinus

192. Grille du jardin d'Eté. 1771–1784, architectes Y. Velten, P. Egorov

193. Jardin d'Eté. Sculptures décoratives

194. Le palais d'Eté de Pierre Ier. 1711–1712, architectes A. Schlüter, D. Trezzini

195. Palais d'Eté. Chambre à coucher de Pierre Ier

196. Jardin d'Eté. *La Paix et l'Abondance.* 1722, sculpteur Pietro Baratta

196

197

198

197. S. Torelli.
Portrait de G. Orlov.
Avant 1763

198. Vue du quai du Palais

199. Le palais de Marbre.
1768–1785, architecte
A. Rinaldi, sculpteur
F. Choubine

200. L'escalier de Parade

201. La Grande salle
de Marbre

202. V. Serov.
*Portrait de Zinaïda
Youssoupova.* 1902

203. Le palais Youssoupov.
1830–1838, architecte
A. Mikhaïlov

204. G. Raspoutine

205. Boudoir
de la princesse

206. La salle du théâtre

LE PALAIS DE MARBRE

Le quai du Palais doit son nom à toute une suite d'admirables palais qui, comme les perles d'un collier s'étirent en bordure de la Neva donnant à ce coin de la rive gauche son incomparable beauté architecturale. La première construction princière édifiée sur le quai du Palais fut le palais de Marbre. Il est le seul à avoir reçu une appellation liée aux particularités de son ornementation, alors qu'en règle générale, un palais portait toujours le nom de son propriétaire. Ses façades sont revêtues de marbres de couleurs différentes ramenés de divers pays. Les intérieurs étaient également habillés de marbre, malheureusement nous sont parvenus dans ce décor que l'escalier de Parade et le registre inférieur de la Grande salle. Bien que sous le climat nordique, le marbre se soit terni, le palais reste un des joyaux de l'architecture russe du classicisme de première époque. Le premier propriétaire du palais de Marbre fut Grigori Orlov, le favori de Catherine II, a qui l'impératrice offrit ce palais en signe de « reconnaissance ».

200

199

201

202

203

204

205

LE PALAIS YOUSSOUPOV

Le plus célèbre palais en bordure de la Moïka est celui des Youssoupov. C'est-là que, dans la nuit du 16 décembre 1916, Grigori Raspoutine fut tué, acte qui fut le prologue des événements sanglants de 1917. Ce paysan sibérien, prophète et thaumaturge, selon l'opinion de l'empereur Nicolas II et de son épouse Alexandra Feodorovna, incarnait le lien mystique du tsar orthodoxe avec son peuple. Ayant perdu le soutien des hautes couches cultivées de la société, l'empereur pensait et espérait le retrouver dans le peuple par l'intermédiaire de ce « saint homme ». Par ailleurs, cet homme, qui sans conteste possédait des qualités extra-sensorielles, était le seul qui savait comment soulager le jeune héritier du trône atteint d'hémophilie. Outré par la grande influence qu'exerçait Raspoutine sur le couple impérial, les aristocrates et les membres des cercles monarchistes se décidèrent à des mesures extrêmes – tuer Raspoutine. A l'étage du sous-sol du palais se trouvait une petite pièce où Félix Youssoupov invita Raspoutine sous le prétexte de lui présenter son épouse, une des plus belles femmes de l'empire disait-on. Mais ni les gâteaux et le vin empoisonnés au cyanure servis par les conjurés, ni, quelque temps plus tard, les deux balles de revolver et le coup de matraque sur sa tête ne purent l'anéantir. C'est seulement après l'avoir jeté dans la Moïka qu'il mourut.

207

207. Le théâtre Mariinski.
1847–1849, 1859,
architecte A. Cavos ;
1883–1886, 1894,
architecte V. Schretter

208. L'opéra *Le prince
Igor* sur la scène
du théâtre Mariinski

209, 213. Théâtre Mariinski.
La salle des spectateurs

210. Le ballet *La Belle au
bois dormant* sur la scène
du théâtre Mariinski

211. Anna Pavlova dans
le ballet *Chopiniane* sur une
musique de F. Chopin. 1907

212. Galina Oulanova
dans le ballet d'A. Adam
Giselle. 1940

LE THÉÂTRE MARIINSKI

Sur la place Théâtrale, se dresse le
théâtre Mariinski, le grand théâtre d'opéra et de ballet de Saint-Petersbourg. Dans
les années 1880–1890, le théâtre fut reconstruit et agrandi et acquit l'aspect que
nous lui connaissons aujourd'hui. Sur sa
scène, pour la première fois, furent jouées
les pièces musicales des célèbres com-
positeurs russes Rimski-Korsakov, Mous-
sorgski, Tchaïkovski. Marius Petipa y mon-
ta ses ballets qui connurent une gloire universelle grâce aux danseuses Mathilde
Kchessinskaïa, Anna Pavlova, Tamara Kar-
savina et aux danseurs Vatslav Nijinski et
Mikhaïl Fokine. En 1914, Alexandre Golovine créa le magnifique rideau de scène que l'on voit aujourd'hui. Au début

209

208

du XXᵉ siècle, de nombreux solistes du théâtre participèrent aux fameuses Saisons russes organisées par Serguei Diaghilev. Après 1917, une autre génération d'artistes, de musiciens et chefs d'orchestre apparut. Ici commencèrent leurs carrières artistiques Galina Oulanova, Natalia Doudinskaïa, Constantin Sergueïev, Agrippine Vaganova. De nos jours, l'arrivée du musicien Valeri Gerguiev fut marquée par des mises en scène expérimentales de ballets et d'opéras qui témoignent des recherches constantes de nouvelles formes d'expression dans les spectacles musicaux et scénographiques. Le théâtre Mariinski fut et reste partie intégrante de la vie culturelle de Saint-Petersbourg et de la Russie.

212

210

211

213

214

215

LA CATHÉDRALE SAINT-NICOLAS-DES-MARINS

La première liturgie solennelle dans la cathédrale Saint-Nicolas eut lieu, le 14 septembre 1770, après la victoire obtenue sur la flotte turque dans la bataille dans la baie de Tchesmé. La cathédrale se distingue par l'état parfait de ses intérieurs dans lesquels l'architecte Savva Tchevakinski introduisit des éléments de l'architecture de palais. Elle se compose de deux églises placée l'une au-dessus de l'autre, l'inférieure est dédiée à saint Nicolas, la supérieure, à l'Apparition du Christ. L'édifice, blanc et azur, avec ses cinq doubles coupoles dorées produit un effet remarquable grâce à la richesse du décor de ses façades et de ses intérieurs. Dans l'ornementation intérieure un rôle important est dévolu aux éléments sculptés surtout dans les splendides iconostases des églises inférieure et supérieure. La cathédrale Saint-Nicolas abrite une icône de ce saint, un des plus populaires et plus vénérés dans toute la Russie car considéré comme thaumaturge et « prompt à l'aide ». Il est en général représenté en vieillard chauve, parfois la tête couverte, dans des habits indiquant le haut rang de sa dignité. Sur l'icône, en argent guilloché, de la cathédrale, il se dresse en pied, la main droite levée en signe de bénédiction, l'autre tient les saintes Ecritures. Dans l'ensemble architectural, le clocher indépendant joue un rôle important. C'est une haute tour à quatre niveaux, harmonieusement proportionnée qui peut être considérée comme une des œuvres les plus parfaites de l'architecte. Légère et svelte, coiffée d'une élégante coupole surmontée d'une flèche, elle s'harmonise parfaitement avec les eaux du canal Krioukov dans lesquelles elle se mire les jours de beau temps et durant les fantastiques nuits blanches.

214. Cathédrale Saint-
Nicolas-des-Marins.
Intérieur de l'église
supérieure de
l'Apparition-du-Christ

215. Quai du canal
Krioukov. Vue sur
l'ensemble des édifices
de la cathédrale Saint-
Nicolas-des-Marins

216. La cathédrale Saint-
Nicolas-des-Marins.
1753–1762, architecte
S. Tchevakinski

217. Cathédrale Saint-
Nicolas-des-Marins.
Icône *Saint Nicolas
le Thaumaturge*

216

217

218

219

220

LA LAURE SAINT-ALEXANDRE-NEVSKI

Fondée par un oukaze de Pierre Ier en 1710, la Laure Saint-Alexandre-Nevski est en fait du même âge que la ville. Elle est placée sous le vocable d'Alexandre Nevski, grand-duc de Novgorod, éminent commandant d'armes et homme d'Etat du XIIIe siècle, canonisé par l'Eglise orthodoxe et considéré comme le saint patron de Saint-Petersbourg. Pierre Ier décida de transférer les reliques de ce saint guerrier orthodoxe dans sa nouvelle capitale. Pour qu'elles reposent dans un digne lieu, il fut décidé de construire en dehors de ville un monastère masculin dédié au saint. Ce monastère reçut le titre de Laure en 1797, titre accordé

218. Laure Saint-Alexandre-Nevski. Entrée

219. Monument sur la tombe de P. Tchaïkovski. 1897, sculpteur P. Kamenski

220. Monument sur la tombe de F. Dostoïevski. 1883, sculpteur N. Laveretski

aux plus importants monastères masculins. Dans la laure, derrière le mur bordant la place, se trouvent deux cimetières : Saint-Lazare, qui date de l'époque pétrovienne, et Tikhvine, dit Nécropole des maîtres de l'art.

223

224

221. La cathédrale
de la Sainte-Trinité.
1776–1790, architecte
I. Starov

222. Nef centrale

223. Cathédrale de la
Trinité. Châsse en argent
avec les reliques de saint
Alexandre Nevski

224. La cour intérieure
de la laure

LA CATHÉDRALE
DE LA SAINTE-TRINITÉ

Au XVIIIe siècle, au monastère Saint-Alexandre-Nevski, travaillèrent quelques architectes célèbres grâce aux efforts desquels il se transforma en un ensemble architectural homogène où les édifices d'époques différentes et de styles divers furent harmonieusement réunis. Architecte de l'époque du classicisme, Starov conçut l'édifice central du complexe, la solennelle cathédrale de la Sainte-Trinité, qui devait jouer dans l'ensemble compositionnel un rôle majeur. Cette cathédrale inclut dans son volume deux clochers monumentaux très caractéristiques des édifices religieux du classicisme russe. On remarquera la beauté et l'élégance des portes saintes de l'iconostase.

225. La cathédrale de la Transfiguration. 1743–1754, architectes M. Zemtsov, P. Trezzini ; 1828–1829, architecte V. Stassov

226. Le patriarche Alexis II

227. La cathédrale de la Transfiguration. Icône de *la Sainte Face*

228. La cathédrale de l'Icône-de-la-Vierge-de-Vladimir. 1761–1769 Clocher. 1783, architecte G. Quarenghi

229. L'église de Tchesmé. 1777–1780, architecte Y. Velten

225

LES ÉGLISES ORTHODOXES DE SAINT-PETERSBOURG

Pierre Ier mit à la tête de l'Eglise ortho-doxe un « collège spirituel » – le Saint-Synode qui était dirigé par un procureur civil. L'Eglise orthodoxe de la période pé-tersbourgeoise de l'histoire de la Russie était pratiquement un département du gou-vernement. Un des signes de cette subor-dination de l'Eglise à l'Etat était la consé-cration des édifices religieux sous le voca-ble de saints du « calendrier » dont les noms correspondaient à ceux des membres de la famille régnante ou de saints dont le jour de fête coïncidait à un événement impor-tant dans la vie du pays comme une victoi-re militaire par exemple. La victoire rem-portée sur les Trucs dans la baie de Tches-mé le jour de la Saint-Jean en 1770 fut marquée par l'érection de l'église de la Naissance-de-Saint-Jean-le-Précurseur plus connue sous le simple nom d'église de Tchesmé. L'église dédiée à saint Vladimir commémore le baptême de la Russie par le prince de Kiev Vladimir, plus tard canonisé.

1

LA CATHÉDRALE DE SMOLNY

Toutes les constructions, palais et résidences, érigés dans le style baroque par l'architecte de la Cour, Francesco Rastrelli, sont les édifices les plus ornementaux de la ville. L'un de ses ensembles est le grand complexe du monastère de Smolny édifié sur la haute rive gauche de la Neva, à l'endroit où la rivière forme un coude. Après la conquête de ces terres par Pierre Ier, le tsar fit construire plus près de la Neva des entrepôts pour la poix [en russe *smola*] servant au calfatage des navires. Plus tard, on éleva ici pour Elisabeth une résidence de campagne qui prit le nom de Smolny. En 1764, la cathédrale était pratiquement achevée extérieurement. Mais même ainsi elle ravissait les contemporains. L'éminent architecte du classicisme Giacomo Quarenghi passant un jour devant elle, ôta son chapeau en disant « ça, c'est une cathédrale ! ». Au cours des années 1830, sa construction et son aménagement intérieur furent enfin terminés par l'architecte Vassili Stassov. La cathédrale de Smolny se regarde avec beaucoup d'effets vue de l'eau ou de la rive opposée de la Neva. Elle émerge comme un mirage féerique toute étincelante d'or, légère et radieuse dans l'habit azur de ses murs.

232

230. La cathédrale de Smolny. 1748–1769, architecte F. Rastrelli

231. Le Pont Pierre-le-Grand (pont Bolcheokhtinski) et la cathédrale de Smolny

232. Panorama du monastère du Smolny

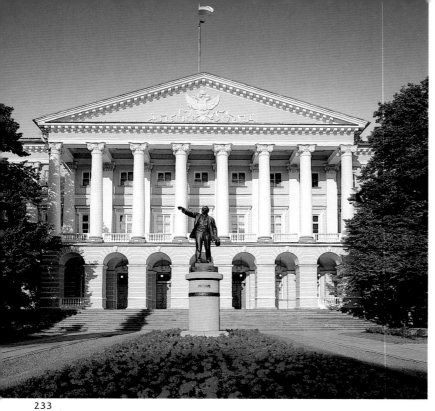

233

234

233. L'institut Smolny.
1806–1808, architecte
G. Quarenghi
Monument à Lénine.
1927, sculpteur V. Kozlov,
architecte V. Chtchouko

234. V. Serov.
Le Palais d'Hiver est pris.
1954

235. Le croiseur
« Aurora » amarré
à perpétuité

236. Propylées
de l'institut Smolny.
1923–1924, architectes
V. Chtchouko, V. Helfreich

237. V. Serov.
*Lenine proclame
l'instauration du Pouvoir
soviétique.* 1936

237

LA GRANDE RÉVOLUTION SOCIALISTE D'OCTOBRE

En août 1917, le Conseil (en russe, *Soviet*) des députés ouvriers et soldats de Petrograd déménagea dans le bâtiment de l'ancien institut du Smolny pour jeunes filles de la noblesse. En septembre, la direction du Conseil passa au parti bolchéviks dont le président élu était Léon Trotski. Le but était fixé : « Tout le pouvoir aux Soviets ! ». La préparation technique de l'insurrection commença. Le pouvoir suprême devait être adopté par le IIe Congrès panrusse des Soviets. Ce Congrès eut à peine le temps de se rassembler que l'insurrection se déclencha. Les soldats, matelots, ouvriers commandés par le Comité militaire révolutionnaire du Soviet de Petrograd, au signal donné par un coup de canon tiré du croiseur *Aurora*, prirent d'assaut le palais d'Hiver et arrêtèrent les membres du gouvernement Provisoire. Lenine déclara devant les délégués rassemblés dans la salle des Actes du Smolny que tout le pouvoir en Russie était entre leurs mains. Le IIe Congrès panrusse des Soviets ratifia l'instauration du premier gouvernement soviétique dirigé par un Conseil des commissaires du peuple. L'édifice de l'institut du Smolny pour de longues années devint l'incarnation du pouvoir soviétique.

LE SIÈGE DE LENINGRAD

Au cours de la Seconde guerre mondiale, Leningrad endura un des plus tragiques épisodes de son histoire – un blocus qui dura 900 jours, du mois de septembre 1941 au mois de janvier 1944. En septembre 1941, l'armée allemande du groupe « Nord » fut arrêtée aux abords de Leningrad, grâce, en grande partie, aux milices populaires, citoyens de la ville, mal armés, entraînés au combat à la hâte, mais farouchement décidés de défendre leur ville, même au prix de leur vie. Ainsi commença dans l'histoire de l'humanité un siège encore jamais vu. Les habitants de Leningrad étaient condamnés à mourir lentement. Affaiblis par la faim et le froid, particulièrement rude en ces années, ils surmontèrent héroïquement toutes les difficultés et privations dans leur ville morte, privée d'électricité et d'eau, sous de constants

238

238, 239, 241. Monument aux Héroïques Défenseurs de Leningrad sur la place de la Victoire. 1974–1975, architecte S. Speranski, sculpteur M. Anikouchine

240. Mémorial de Piskariovskoe. Statue de la Mère-Patrie. 1956–1960, sculpteur V. Issaïeva, architectes A. Vassiliev, E. Levinson

242. Patrouille d'ouvriers dans une rue du Leningrad encerclé

243. Point d'eau sur la perspective Nevski durant le blocus

239

240

241

242

243

bombardements. Le ravitallement put un temps être rétabli grâce à la « Route de la vie » passant sur les eaux gelées du lac Ladoga. En janvier 1943, l'armée Rouge réussit à percer une étroite brèche dans le système allemand. Après la fin de la guerre, le long de la ligne de défense de Leningrad fut créée une « ceinture verte de la Gloire » comprenant plus de 60 monuments et ensembles mémoriaux. Un monuments aux vaillants et inflexibles défenseurs de la ville se dresse au cimetière de Piskariovskoe où sont ensevelis dans des fosses communes plus de 450 mille habitants qui moururent de faim ou de froid. Au cours du siège de Leningrad plus d'un million de citadins et défenseurs de la ville périrent dont près de vingt mille suite aux bombardements et aux tirs d'artillerie.

LES PONTS DE SAINT-PETERSBOURG

Parmi les villes du monde, Saint-Petersbourg possède le plus grand nombre de ponts, beaucoup plus que certaines villes célèbres par ces ouvrages comme Venise, Amsterdam ou Stockholm. Actuellement, on en compte plus de cinq cents reliant les quelques cents îles et îlots qui constituent le territoire de la ville. A l'instar des ensembles architecturaux, ils participent dans une grande mesure à la formation de l'image de la ville. On pourrait dire que la ville est un musée des ponts. C'est seulement après la mort du « tsar-marin » que sur la Neva apparurent trois ponts flottants que l'on démontait lors de la débacle de mai et au tout début de l'hiver avant que l'eau du fleuve ne gèle. Les ponts permanents commencèrent à être construits vers le milieu du XIXe siècle sur les mêmes emplacements que les ponts temporaires. Ces ouvrages indispensables à la vie de la cité sont, non seulement des exemples techni-

ques du génie humain, mais encore des œuvres d'art, possédant chacune leur propre expressivité artistique et reflétant en même temps les goûts de l'époque qui leur donna naissance. Ils sont bossus et élégants, énormes et petits, légers et monumentaux et, avec les quais de granit, la dentelle de leurs grilles en fonte et leurs réverbères, ils donnent à la ville son cachet incomparable.

244. Canal Griboïedov.
Le pont de la Banque.
1825–1826, ingénieur
W. Traitteur, sculpteur
P. Sokolov

245. Canal Griboïedov.
Le pont Italien. 1955,
ingénieur A. Guttsait,
architecte V. Vassilkovsky

246. Quai de la Moïka

247. Panorama de la Moïka

248. Canal Griboïedov.
Le pont des Lions.
1825–1826, ingénieur
W. Traitteur, sculpteur
P. Sokolov

249

LES « NUITS BLANCHES »

Le temps imprévisible et capricieux donne aussi à Saint-Petersbourg une expressivité particulière. La ville possède le don de changer brusquement d'humeur, nous forçant à regarder tout autrement sur sa beauté, elle semble comprendre l'état émotionnel de ses citadins et vouloir partager avec eux leur joie ou leur tristesse. Mais l'époque la plus féerique, la plus fantastique, est celle des « nuits blanches » qui dure de la mi-mai à la mi-

250

251

juillet, période envoûtante, ensorcelante qui permet d'oublier les pluies fréquentes, les brouillards qui vous transissent de froid, les jours d'hiver trop courts et les soirs d'automne trop longs.

« Maints poètes flattèrent et décrivirent nos nuits nordiques, mais exprimer leur beauté avec des mots est impossible, comme il est impossible de décrire le parfum d'une rose ou la vibration d'une corde d'instrument. Aucun poète ne pourra

252

253

249. Nuit blanche
sur la Neva

250. Vue du pont de la
Trinité et de la forteresse
Pierre-et-Paul prise
du quai Koutouzov

251. Vue sur la Neva
prise du toit de l'Ermitage

252, 254. Ouverture
du pont du Palais

253. Le pont Lieutenant-
Schmidt

transmettre le silence mystérieux, plein de pensées et de vie, qui s'étale sur la Neva essoufflée après ses ébats au soleil, sous la lumière phosphorescente de légers nuages et le pourpre de l'ouest. Aucun peintre ne possède ces magnifiques couleurs qui châtoient dans le ciel, se reflètent sur l'eau, comme sur la peau d'un caméléon, sur les facettes du cristal, comme dans la polarisation de la lumière. Aucun musicien ne pourra transcrire les sons imprégnés de sentiments qui montent de la terre vers le ciel et, s'y réfléchissant, retombent sur la terre » (Apollon Grigoriev).

255. Vue du Grand palais
et de la Grande cascade
prise du Grand canal

256. Grande cascade
Fontaine *Samson déchirant
la gueule du lion*. 1801,
sculpteur M. Kozlovski,
architecte A. Voronikhine;
coulage réalisé
par V. Ekimov

PETERHOF

Parlant de Saint-Petersbourg, on ne peut omettre de citer les anciennes résidences impériales de campagne entourant la capitale du nord comme un collier de perles. Chacune d'entre elles a conservé les empreintes des penchants de leurs différents propriétaires. Cependant, en règle générale, chaque résidence s'associe à un souverain déterminé. En premier lieu, il est utile de rappeler que Peterhof fut la résidence préférée de Pierre Ier et porte même son nom. Peterhof n'était pas uniquement un lieu de villégiature et de réception d'hôtes de haut rang, il pensait en faire un monument incarnant les transformations

257. Grande cascade.
Sculpture décorative

258. *Persée*. 1801,
sculpteur F. Chtchedrine

259. Sculpture décorative
Amazone. 1801. Copie
d'un original antique des
V^e–IVe siècles av. J.-C.
réalisée par F. Gordeiev

qui s'opéraient en Russie, un exemple palpable de l'épanouissement des arts russes et une résidence maritime d'apparat. Sous Pierre Ier l'on commença à agrémenter les terrasses et les parterres de fontaines. Les architectes et ingénieurs surent avec beaucoup de goût exploiter le relief du lieu et créèrent sur un territoire de 102 hectares un étonnant ensemble architectural de pa-

258

259

261

260

lais et parcs dotés d'un ingénieux système de jeux d'eau alimenté par des sources naturelles découvertes sur les hauteurs de Ropcha près de Peterhof qui, canalisées permettaient d'obtenir un fort débit constant. Devant la façade nord du palais, faisant face au golfe de Finlande, se déploie le parc Inférieur comprenant des édifices, la Grande cascade, deux autres petites cascades et un grand nombre de fontaines. Le centre de cette grandiose composition symétrique est la Grande cascade. Une magnifique vue de cette cascade s'ouvre du golfe lorsqu'on s'approche de la rive en bateau. La cascade comporte 38 statues et 213 bas-reliefs, bustes, mascarons et vases. Les modèles de la statuaire et les motifs des bas-reliefs étaient tirés du répertoire de la mythologie antique. Ce décor devait aussi, sous une forme allégorique, glorifier les victoires de la Russie et épanouir le thème de la mer. Le centre de la Grande cascade est occupé par la fontaine *Samson déchirant la gueule du lion*. Le 27 juin 1709, le jour de la saint Samson l'Hospitalier, se déroula la célèbre bataille près de Poltava où l'armée commandée par Pierre Ier mit en déroute celle du roi de Suède Charles XII. La sculpture devait symboliser allégoriquement cet événement historique.

260. Gradins de la cascade occidentale

261. Vue sur le Grand canal (canal Maritime ou de Samson) et l'allée des Fontaines

262. *Galatée.* 1801, sculpteur J.-D. Rachette

262

263

264

26[

263. Grand palais.
L'escalier d'Honneur

264, 265. Escalier
d'Honneur. Palier
supérieur

266. La salle de Bal

267. La salle du Trône

Le Grand palais, dominant sur la terrasse, marque le centre du complexe de Peterhof. Dans le Grand palais, les salles et les salons d'apparat sont disposés au premier étage. La salle du Trône se distingue par le grand nombre de tableaux qui l'ornent. On remarquera en particulier le panneau de W. Ericsen *Cortège se dirigeant vers Peterhof.* Ce n'est pas une allégorie, si caractéristique pour la peinture décorative baroque, mais un sujet historique montrant le retour à Peterhof de Catherine II à la tête du régiment de la Garde. Un des plus anciens intérieurs du palais est la salle des Portraits qui, à l'époque de Pierre Ier, était la plus vaste. Dotée de baies sur deux niveaux, elle s'ouvre par des portes-fenêtres sur les deux côtés du palais : au sud, sur le jardin Supérieur et, au nord, sur la Grande cascade.

268

269

268. Fontaine *Romaine*.
1738–1739; 1799–1800

269. Fontaine *Eve*.
1718, sculpteur
D. Bonazza.
1725–1726,
architecte N. Michetti

Peterhof doit en premier lieu sa renommée à ses fontaines et à leurs systèmes hydrauliques uniques et en tant qu'ouvrages de l'art décoratif monumental. Les eaux scintillantes des trois cascades et des nombreuses fontaines qui, dans les rayons de soleil s'irisent, créent une atmosphère

270

71

272

marches en marbre s'élance une bouillon-
nante colonne d'eau en forme de pyramide. Ce grandiose effet est obtenu par sept
carrés circonscrits de jets d'eau montant
à des hauteurs différentes et sortant de plus
de 500 buses. A côté de telles puissantes
fontaines, il existe dans le parc de plus
modestes, mais fort élégantes comme celle du Soleil se composant d'un disque tour-
nant duquel en rayons sortent de fins jets
d'eau. Le bruit de l'eau scintillante de lumière tombant dans le bassin fait penser
à une paisible conversation.

270. Fontaine *Soleil*. 1721–
1724, architecte N. Michetti ;
1772–1776, architectes
Y. Velten, I. Yakovlev

271. Fontaine *La Pyramide*.
1721–1724

272. Fontaine du
« Petit champignon ». 1735,
sculpteur C. Rastrelli,
fontainier P. Sualem

273. Fontaine de la *Gerbe*.
1721–1723. Architecte
N. Michetti. D'après les
esquisses de Pierre le Grand

273

de fête de la nature, une apothéose de l'élément aquatique. Par la diversité de leurs
formes, de leurs systèmes et de leur destination, les fontaines de Peterhof sont comme les éléments d'un musée à ciel ouvert.
Chaque personnage décorant les fontaines
est en quelque sorte le « héros » d'un sujet. Adam et Eve doivent nous rappeler que
nous sommes dans un « paradis », le chien
Favori, illustre une fable de La Fontaine
ayant pour thème un petit chien désirant
rattraper des canards. Sur une petite butte
naturelle du parc Inférieur s'étalent les eaux
de la cascade des Dragons (Montagne de
l'Echiquier). De part et d'autre de la cascade se dressent des statues de marbre réalisées dans des ateliers italiens. Au pied de
la cascade jaillissent les eaux de deux fontaines dites Romaines, installées dans la
première moitié du XVIIIe siècle. Initialement leurs éléments étaient en bois et à la
fin du siècle furent refaits en marbre. Leur
composition répète celle des fontaines
à deux niveaux qui se trouvent sur la place
devant la basilique Saint-Pierre au Vatican.
La fontaine de la Pyramide est tout autre.
D'un socle carré en granit bordé de trois

274

276

274. Vue de la terrasse
Maritime et du palais
Monplaisir

275. Jardin de Monplaisir.
Fontaine *la Cloche*. 1723.
Psyché. 1817.
Copie d'un original
de A. Canova

276. Fontaine de
l'Orangerie. *Triton
déchirant la gueule
d'un monstre marin*.
Premier quart
du XVIIIe siècle.
Sculpteur A. Tarsia

277. Pente douce de
l'entrée du parc Inférieur

278. Palais Monplaisir.
La galerie

279. Palais Monplaisir.
La salle de Parade

280. Le palais Monplaisir.
1714–1723, architectes
J. Braunstein,
J.-B. Le Blond,
N. Michetti ; sculpteur
C. Rastrelli. D'après
les esquisses de Pierre Ier.
Le Jardin Monplaisir.
1714–1739, architecte-
paysagiste L. Garnichfeldt.
D'après les esquisses
de Pierre Ier

A Peterhof, le lieu favori de Pierre Ier
était le palais Monplaisir disposé tout près
du golfe et s'inscrivant organiquement dans
le paysage riverain. Le corps central d'un
niveau, couvert d'un haut toit en mansar-
de, est flanqué de deux galeries vitrées, le
long desquelles on pouvait se promener,
avec un belle vue sur la mer et sur le jardin. La pièce principale dans ce petit palais
confortable est la salle de Parade. Le tsar
organisait ici de joyeuses fêtes. « Les fes-
tins étaient souvent de véritables débau-
ches. Il y avait aussi peu de pudeur à table.

275

277

Ainsi, lors du baptême de Pierre Petrovitch, à la table des hommes, d'un énorme gâteau sortit une naine toute nue qui tenait des discours et proclamait des toasts et, à la table des femmes, la même chose était effectuée par un nain nu. A la table du tsar tout le monde était saoul sans distinction de sexe » (M. Pyliaev). Aujourd'hui, de ces « assemblées » il ne reste que la fameuse coupe dite du Grand aigle que les invités devaient boire complètement sous l'œil sévère du maître.

278

279

280

281

282

281, 284. Le palais
de Marly. 1720–1723,
architecte J. Braunstein

282. Fontaine *Triton*.
1732, architecte
M. Zemtsov

283. Cascade de la
Montagne d'or (cascade
de Marly). 1722–1725,
architectes N. Michetti,
J. Braunstein, M. Zemtsov
et T. Oussov, sculpteur
C. Rastrelli, fontainier
P. Sualem

285. Une allée du parc
Inférieur

283

284

285

Dans le secteur occidental du parc Inférieur se trouve l'ensemble de Marly, appelé ainsi en l'honneur de son prototype, la résidence de Louis XIV. Il inclut trois jardins plantés à l'époque d'arbres fruitiers et protégés des vents du golfe par un haut remblai de terre. Le pavillon Ermitage fut aussi érigé dans le parc Inférieur près de la mer. Son nom dévoile sa fonction. De tels petits palais de « refuge » étaient répandus en France, puis la mode passa en Russie. Mais la principale curiosité de son unique salle était sa table équipée de monte-plats (prévue pour quatorze couverts).

286. Le pavillon Ermitage. 1721–1757, architectes J. Braunstein, F. Rastrelli

287. La salle Supérieure

288, 289. La cascade des Dragons (Montagne de l'Echiquier). 1737–1739, architectes M. Zemtsov, I. Blanck, I. Davydov, sculpteur H. Ossner

290

L'architecte Francesco Rastrelli déploya
tout son talent pour faire du Grand palais
un ouvrage grandiose, la dominante architecturale des parcs Inférieur et Supérieur.
La formation du Grand palais de Peterhof
dura presque un siècle et demi, mais la
composition tripartite de tout l'ensemble
avait été déterminée dès le début. Au milieu du XVIIIe siècle, Rastrelli agrandit seulement le schéma initial de l'édifice. Le corps
central à deux étages, la seule partie de
l'ancien palais Supérieur de Pierre Ier qui fut
conservée, est reliée par des galeries à arcades à un niveau, aux corps latéraux d'un
étage. Côté ouest, se dresse le corps des
Armoiries, appelé ainsi car sa coupole est
surmontée d'un aigle bicéphale. Cet aigle
se trouve à une hauteur de 27 mètres et
un dispositif spécial lui permet de tourner

290. Grand palais. Corps des Armoiries.
Détail de la coupole

291. Vue du Corps des Armoiries prise
du Jardin Supérieur

292. Sculptures du Jardin Supérieur

293

293. Peterhof. La cathédrale Saints-Pierre-et-Paul. 1895–1904, architecte N. Sultanov

294. Le Cottage. Salon de Alexandra Feodorovna

295. A. Maliukov. *L'impératrice Alexandra Feodorovna.* 1826

296. F. Krüger. *L'empereur Nicolas I*er. 1850

297. Parc Alexandria. Le Cottage. 1826–1842, architectes A. Menelaws, A. Stackenschneider

sur son axe comme une girouette. Notons que l'aigle possède, en fait, trois têtes, mais cela pour la seule raison que lorsque la girouette tourne on puisse voir d'en bas toujours deux têtes. Devant la façade sud du Grand palais s'étale le jardin Supérieur sur une superficie de 15 hectares de terrain plat. C'est-là un parfait exemple de parc régulier. Dans sa composition entrent des bosquets longeant des deux côtés le grand parterre, quatre gloriettes treillagées ainsi que quatre berceaux couvrant des allées. Cependant, le décor principal du jardin s'avère ses fontaines.La plus importante d'entre elles est celle de *Neptune* dont le thème est encore une fois lié à la mer.

294

295

296

297

Au début du XIXe siècle, à l'est du territoire du Peterhof pétrovien, fut planté un vaste parc agrémenté de différentes constructions. L'une d'elles se distingue en particulier. Il s'agit du Cottage édifié par l'architecte anglais Adam Menelaws pour l'empereur Nicolas Ier et son épouse Alexandra Feodorovna en l'honneur de laquelle le parc fut appelé Alexandria. Le modèle qui inspira la construction du Cottage serait une maison de campagne anglaise. Nicolas Ier qui visita l'Angleterre au temps où il n'était encore que grand-duc, tomba en admiration devant ces demeures au confort patriarcal. Chaque pièce de ce petit palais est décorée de motifs peints correspondant à sa destination. Toutes ces peintures, parmi lesquelles se distinguent celles ornant les murs de l'escalier de Parade, furent exécutées par Gianbattista Scotti, maître incontesté de la peinture monumentale décorative. Un grand rôle dans le décor des intérieurs revient aux ornements moulés, très élégants, qui donnent un charme tout particulier aux pièces. Le Cottage possède une fort belle collection de tableaux accrochés aux cimaises de presque toutes les salles. La partie la plus intéressante de cet ensemble est constituée par trente toiles (villes portuaires et marines) du célèbre mariniste Ivan Aïvazovski, peintre particulièrement apprécié par la cour. C'était la résidence préférée du couple impérial. Alexandra Feodorovna y régnait en maîtresse de maison. Ses goûts se dévoilent dans l'ornementation des salles et même dans la disposition des meubles. C'est elle qui choisissait les objets d'art, bibelots et tableaux. Grâce à ses soins, à ses efforts le Cottage devint un véritable nid familial où régnaient intimité, confort et calme, où l'empereur était l'époux aimé et un père affectueux. Il aimait s'appeler le « Lord du Cottage ».

La construction de la cathédrale Saints-Pierre-et-Paul à Peterhof commença le 25 juillet 1895 sur un projet élaboré par l'architecte Nikolaï Sultanov qui, dans cet édifice, mit en application les traditions de l'architecture russe ancienne. Selon ses propres paroles « les principaux motifs de la façade sont inspirés des formes des églises russes des XVIe et XVIIe siècles qui se distinguent par une richesse et une beauté particulières ».

298. Panorama du Grand palais et de la Grande cascade

132

299. Le Grand palais
de Catherine. 1752–1756,
architecte F. Rastrelli

300. Le Grand palais
de Catherine. Coupoles
de l'église palatine

300

TSARSKOE SELO

Tsarskoe Selo est, en premier lieu, lié aux noms de deux impératrices : Elisabeth Petrovna et Catherine la Grande, bien que l'aménagement du territoire et les premières constructions apparurent déjà sous Catherine Iʳᵉ, l'épouse de Pierre Iᵉʳ, à qui l'empereur avait offert ces terres en cadeau. Mais ce n'est que sous le règne d'Elisabeth, la fille de Pierre Iᵉʳ, et grâce au talent de Francesco Rastrelli qui considérait que les palais doivent être créés « pour la seule gloire de la Russie », que cette brillante résidence eût véritablement le droit de s'appeler Tsarskoe Selo (village du tsar).

301

301. G. Prenner
*L'Impératrice Elisabeth
Petrovna*. 1754

302. La salle
des Tableaux

303. La Grande salle

304. Escalier de Parade.
1860, architecte
I. Monighetti

305. L'enfilade
des salles d'apparat

302

303

Rastrelli réaménagea pour Elisabeth Petrovna le palais du complexe architectural, plus connu sous le nom de Grand palais de Catherine. Pour juger du talent de Rastrelli en tant que décorateur, il suffit de regarder la Grande salle du Trône occupant toute la surface du ressaut central. Cette pièce (846 mètres carrés) remplit le visiteur d'une sensation de grandeur et de solennité. Pleine de lumière, elle paraît encore plus grande grâce à ses multiples miroirs, à la profusion des éléments dorés et, plus spécialement, grâce à son plafond peint qui engendre une illusion d'espace infini.

La conception architecturale du célèbre escalier de parade en marbre, richement décoré, surprend par sa grandeur monumentale. Il fut reconstruit en 1860 sur un projet de l'architecte I. Monighetti. Au cours du règne de Catherine II apparurent de nouveaux intérieurs liés au nom de Cameron.

306

307

En 2003, fut achevée la reconstitution du célèbre salon d'Ambre du palais de Tsarskoe Selo que l'on considérait, sans grande exagération, comme la «huitième merveille du monde». En 1717, le roi de Prusse, Frédéric Ier offrit en cadeau à Pierre Ier des plaquettes d'ambre et quatre panneaux en mosaïque d'ambre. Tous ceux qui eurent l'occasion de voir le salon d'Ambre furent tous émerveillés. Voici ce qu'en dit Théophile Gautier : « Cette... chambre de dimensions relativement grandes est, de trois côtés, du sol aux frises, entièrement revêtue d'une mosaïque d'ambre. L'œil qui n'est pas habitué à voir une telle quantité d'ambre est comme ébloui par la richesse des tons chauds qui traversent toute la gamme des jaunes, du topaze étincellant au citron clair... ».

308

309

306, 309. Salon
d'Ambre. Détails
du décor sculpté

307. Masque
en ambre sculpté

308. Le salon d'Ambre

310. Un des murs
du salon

311. Coffret. 1705.
Ambre, bois, métal.
Par G. Turau, Allemagne

310

311

312

313

L'impératrice Catherine II prit une part active à l'embellissement de ce palais « elle y travailla beaucoup, ici se dévoila son génie et l'élégance de son goût ». Tsarskoe Selo devint son lieu de résidence préféré : « Catherine arrivait à Tsarskoe Selo avec une petite suite et partageait son temps entre les affaires de l'Etat et toute sorte de divertissements. Chaque jour elle effectuait une promenade à pied dans le parc accompagnée de gentilhommes et de dames d'honneur… De toutes les résidences de campagne, Catherine aimait particulièrement Tsarskoe Selo. A partir de 1763, excepté 2 ou 3 ans, elle vivait à Tsarskoe Selo au printemps, y passait presque tout l'été et rentrait en automne avant les premiers froids. Elle fêtait ici presque toujours son anniversaire. D'ici, le 28 juin 1763, commença la marche solennelle sur Saint-Petersbourg après le couronnement à Moscou. » (S. Viltchkovski).

Sous Catherine II, le vaste parc d'une superficie de 100,5 hectares se transforma en une sorte de « panthéon de la gloire russe ». Un complexe unique d'ouvrages comprenant les colonnes rostrales de Tchesmé et de Morée, l'obélisque de Kagoul devaient

rappeler la campagne de Turquie des années 1770–1780 qui couvrit de gloire l'armée et la marine russes. En ces années, dans le parc de Catherine se construisaient des édifices qui allaient devenir de précieux monuments du classicisme russe. Le plus célèbre et le plus intéressant est la galerie de Cameron, appelée ainsi en l'honneur de son architecte Charles Cameron. Cette galerie, avec ses chambres d'Agate, ses Bains froids, son jardin Suspendu et sa Pente douce forment un ensemble homogène, « une rhapsodie gréco-romaine » comme disait Catherine II dans une de ses lettres. Dans cet ensemble, le rôle principal est dévolu à la galerie de Cameron, sorte de belvédère d'où l'on jouit d'un superbe point de vue sur les paysages environnants. La galerie est décorée de bustes de philosophes, de grands capitaines, de dieux et de héros antiques. Les angles des chambres d'Agate sont orientés, comme dans les thermes romains, aux quatre coins du monde. A l'étage inférieur sont réparties les pièces des Bains froids et, à l'étage au-dessus, celles des chambres d'Agate proprement dites qui doivent leur nom au revêtement des murs, des colonnes et des pilastres avec ce matériau. Les intérieurs de ces chambres présentent une harmonie parfaite entre l'architecture, la peinture et la sculpture. Les deux façades latérales, côté palais et côté jardin de Fleurs, sont pourvues de fenêtres à la française, c'est-à-dire partant du sol.

312. La Galerie de Cameron. 1784–1787, architecte Ch. Cameron

313. Pavillon d'Agate et le Palais Catherine

314. Pavillon d'Agate. La Grande Salle

315. Galerie de Cameron. *Hercule.* 1786. Copie d'un original antique. D'après le modèle de F. Gordeïev

316

317

316. Parc de Catherine.
Le pont Palladio (Sibérien).
1772–1774, architecte
V. Neelov

317. Parc d'Alexandre.
Le village Chinois.
1782–1798, architectes
A. Rinaldi, V. Neelov,
Ch. Cameron ; 1817–1822,
architecte V. Stassov

318. Parc de Catherine.
La Terrasse de granit.
1809–1810, architecte
L. Rusca

318

Le parc paysager s'articule autour du Grand Etang. Il est décoré d'une multitude de pavillons originaux parmi lesquels se distinguent les Bains Turcs qui rappellent une mosquée en miniature. Elle fut construite en 1850–1852 d'après le projet d'Hipollyte Monighetti. Sur la minuscule île du Grand Etang s'élève le plus célèbre monument du parc de Catherine – la colonne de Tchesmé, érigée en 1774–1776 par Antonio Rinaldi en l'honneur de la victoire navale de la Russie sur les Turcs en 1770.

Outre le palais et l'ensemble de Cameron, le Parc de Catherine abrite quelques petits pavillons de destinations diverses. Souvent placés au bord des étang, ils se reflètent dans leurs eaux paisibles. Les pavillons de Rastrelli entrent harmonieusement dans

319

319. Le Grand Etang vu à vol d'oiseau

320. Parc d'Alexandre. Le pont Croisé. 1776–1779, architecte V. Neelov

321. Parc de Catherine. Le pavillon de l'Ermitage. 1749–1754, architecte F. Rastrelli

321

le panorama du Grand Etang et peuvent être admirés de différents points de vue. Chaque pavillon est aussi un exemple typique d'édifice architectural accentuant la beauté d'un coin de parc. Au contraire des pavillons baroques au décor intentionnellement exagéré, les architectes de l'époque du néo-classicisme érigeaient des pavillons aux volumes strictement géométriques rehaussés d'incrustations en relief.

En 1770, sur le Grand étang, l'architecte Vassily Neelov créa un étonnant pont appelé initialement Galerie sibérienne de marbre car réalisé à Ekaterinbourg avec du marbre de l'Oural. Démonté, il fut transporté à Tsarskoe Selo où durant deux années on le reconstitua. Plus tard, il prit le nom de Palladio en l'honneur du célèbre architecte et théoricien d'art, Andrea Palladio.

Au milieu du XVIIIᵉ siècle, l'entrée d'honneur du palais se trouvait côté ouest de la façade. Devant elle on aménagea une vaste cour d'honneur ceinte par une grille ajourée rehaussée de détails dorés, le portail d'entrée était sommé des armoiries de la Russie. Derrière la grille de la cour d'honneur commence un autre parc célèbre de Tsarskoe Selo, le parc Alexandre replanifié au cours du premier tiers du XIXᵉ siècle et s'avérant une combinaison d'éléments de parc paysager et de parc régulier. Le centre architectural et artistique de ce parc est le palais Alexandre conçu par l'architecte Giacomo Quarenghi. Ses façades sont laconiques, leurs ornementations principales étant une colonnade formée de deux rangées de colonnes d'ordre corinthien. Son architecture s'intègre délicatement dans le paysage du parc sans le dominer, mais au contraire fusionnant avec lui.

La mode des « chinoiseries » à Tsarskoe Selo s'incarna dans le village Chinois composé de dix maisonnettes aux toits en pagode. Ce complexe, situé dans le parc d'Alexandre, est relié au parc de Catherine par deux ponts passant au-dessus d'un chemin. L'un d'eux, le Grand Caprice est un ouvrage unique de l'architecture des parcs et jardins. Le pont est rehaussé par un élégant kiosque au-dessus d'une arche de rocher, sa rotonde octogonale de style européen s'allie à une toiture incurvée à la chinoise. L'autre, le pont Croisé, se compose de deux tabliers qui se croisent.

322. Panorama du palais de Catherine et des parcs

ИМПЕРАТОРУ ПАВЛУ Iму
Основателю Павловска
1872 года

PAVLOVSK

Pavlovsk, avec son palais et ses parcs agrémentés de fabriques, se situe à quelques kilomètres de Tsarskoe Selo. En 1777, Catherine II offrit à son fils Paul un vaste territoire de chasse, d'une superficie de 525 hectares, traversé par une petite rivière, la Slavianka. Deux ans plus tard, on commença l'édification d'un palais et l'aménagement des territoires alentour. Quinze ans à peine étaient passés depuis le début de sa construction et on parlait déjà avec admiration de ce palais.

323. Palais de Pavlovsk. Monument à l'empereur Paul Ier. 1872

324. Vue du palais de Pavlovsk. 1782–1786, architecte Ch. Cameron ; 1786–1799, architecte V. Brenna ; 1800–1825, architectes G. Quarenghi, A. Voronikhine, C. Rossi

325

Achevé en un temps relativement court, il était l'unique résidence des environs de la capitale à posséder une unité de style. La célébrité universelle du palais de Pavlovsk ne tient pas uniquement à son admirable architecture, un des sommets du classicisme russe, ni à la magnifique ornementation de ses intérieurs, mais encore comme monument historique et culturel de la Russie,

325. Le vestibule Egyptien

326. La Bibliothèque de Maria Feodorovna. Détail

327. La salle Italienne

328. Grande salle du Trône. Girandole. Fin du XVIIIe siècle. Verrerie impériale, Saint-Petersbourg

329. Le cabinet des Gobelins

330. La Grande salle du Trône (salle à manger d'Apparat)

326

28

par ses riches collections de peintures, de sculptures antiques, son prestigieux ensemble de meubles français et russes, ses gobelins et ses bronzes, ses horloges et ses vases décoratifs et tous ses luminaires. Les meubles sont particulièrement beaux.

329

330

331

333. La Vieille Sylvie. Statue de *l'Apollon du Belvédère*. 1798. Copie d'un original antique coulée par E. Gastecloux

334. *Herminie*. Milieu du XIXe siècle, sculpteur R. Rinaldi

335. La Colonnade d'Apollon. 1782–1783, architecte Ch. Cameron

336. Monument à Maria Feodorovna. 1914, sculpteur V. Beklemichev. Décor architectural réalisé d'après un projet de C. Rossi datant de 1816

337. La tour de Peel. 1795–1797, architecte V. Brenna, peintre P. Gonzaga

338. Le temple d'Aunitié. 1780–1782, architecte Ch. Cameron

339. Le pont Visconti. 1802–1803, architecte A. Voronikhine, maître bâtisseur C. Visconti

332

331. Vue du palais de Pavlovsk et du pont des Centaures

332. Le pavillon des Trois Grâces. 1800–1801, architecte Ch. Cameron

L'idée première et le plan général des principaux secteurs du parc, occupant actuellement une superficie de 600 hectares environ, appartiennent à Charles Cameron. Les travaux commencèrent en 1782 par le tracé des principaux chemins partant du palais, autour duquel se créait un parc régulier. Au cours de la première étape du projet, on édifia plus de dix pavillons qui devaient être les centres compositionnels de différents coins du parc. Parmi eux,

333

334

335

336

337

338

339

le temple de l'Amitié, s'avère le premier édifice construit par l'architecte en Russie. Sur une petite presqu'île, il éleva une rotonde entourée de 16 colonnes. Ce temple se voit parfaitement de différents points de vue et rehausse la beauté romantique du paysage. La dernière œuvre de Cameron à Pavlovsk, le pavillon des Trois Grâces, est une sorte de portique en forme de temple antique. Ses frontons sont décorés de bas-reliefs représentant Apollon et Minerve. Son nom lui fut donné en 1803, lorsqu'on y plaça le groupe sculpté réalisé par Paolo Triscorni composé de trois figures féminines tenant un vase placé sur une colonne. Cameron désirait faire du parc de Pavlovsk un lieu de refuge d'Apollon, le dieu protecteur des Arts, autour duquel vivent les muses. Il édifia pour lui une colonnade se présentant comme un temple-rotonde classique, entouré d'une double ceinture de colonnes avec, pour coupole, le ciel. Il choisit comme matériau une roche calcaire grisâtre dont la taille grossière devait donner l'illusion d'un monument ancien. Au centre de la colonnade, il dressa une statue de l'Apollon du Belvédère.

Pietro Gonzaga prit une part active à l'aménagement des parcs et participa également à la décoration des intérieurs. Il créa toute une série de secteurs de parc mettant en valeur la beauté naturelle de la nature. Achitecte-décorateur, Gonzaga élabora un système particulier de plantation d'arbres et de buissons qui tenait compte de leur cycle d'épanouissement et de flétrissure. Du début du printemps jusqu'aux derniers jours de l'automne (période durant laquelle les membres de la famille impériale séjournaient dans cette résidence) leur frondaison changeait de couleur.

Le parc de Pavlovsk se distingue par l'originalité et la diversité des moyens artistiques employés. La gloire du complexe de Pavlovsk tient de ses secteurs de paysages dévoilant leur beauté naturelle, de ses nombreuses fabriques, sculptures, pavillons et édifices architecturaux disséminés dans cette nature. Outre les monuments de style classique décorant le parc, on pouvait voir, cachées derrière des arbres et des buissons ou un méandre de la Slavianka, des constructions d'un tout autre genre.

340. Panorama du palais de Pavlovsk

LE PALAIS
DE CONSTANTIN

Le destin de l'ensemble de parcs et palais de Strelna qui vient de passer sous l'égide du complexe gouvernemental dit « Palais des Congrès » est symbolique. Les plans grandioses de Pierre Ier, qui voulait voir sur la rive du golfe de Finlande une brillante résidence, se résultèrent par de longs travaux de planification et de construction dans le premier quart du XVIIIe siècle. La période de relâchement de cette résidence de campagne au cours de la seconde moitié de ce même siècle, fut remplacée par celle d'un siècle et demi d'épanouissement sous le patronnage des grands-ducs, période suivit par son dénuement complet dans la tourmente des événements révolutionnaires de 1917. Mais la providence nous conserva cette « favorite du tsar » sous forme de ruines romantiques et pittoresques pour qu'elles ressuscitent et retrouvent leur somptuosité d'antan en ce début du troisième millénaire.

La cité des Cottages a été édifiée dans la partie nord-est du territoire et s'étend le long de la rive du golfe de Finlande.

Sur le pourtour de la place d'honneur semi-circulaire se dressent des mâts sur

341, 345. Le palais de Constantin. 1720–1730, architecte N. Michetti

342. Panorama de la cité des Cottages

343. Statue équestre de Pierre Ier. Répétition de la sculpture de G. Cassel inaugurée à Riga en 1910 en commémoration de la réunion de la Livonie à la Russie. Bronze, granit

344. Sommet « Russie – Union européenne » Les chefs d'Etat dans la salle Azur. 31 mai 2003

344

345

346

lesquels sont hissés les drapeaux des pays participant aux rencontres internationales qui se déroulent au palais.

Au centre de la cour s'élève une statue équestre de Pierre Ier, répétition coulée d'après les moules originaux du monument créé par le sculpteur allemand Gustave Cassel en 1910 à l'occasion du 200e anniversaire de la réunion de la Livonie à la Russie. La statue est érigée sur un haut piédestal de granit portant des plaques mémoriales indiquant, en russe et en allemand,

346. La salle de Marbre

347. La salle Azur

348. Le salon Musical

349. La salle du Belvédère

347

348

349

350

qu'elle fut installée le 27 mai 2003 en l'honneur du tricentenaire de Saint-Petersbourg.

Le Cabinet du grand-duc Constantin Constantinovitch a été aménagé d'après des documents écrits et des photographies des années 1910. Le salon aux Méandres doit sa dénomination à cet ornement réalisé en grisaille qui domine dans l'ornementation de la pièce. La salle Azur est destinée au déroulement de diverses manifestations : réunions, conférences, grands repas ou défilé de mode. En souvenir du mémorable événement qui eut lieu dans la salle de Marbre – le sommet « Russie – Union européenne », la table a été laissée telle qu'elle avait été déployée lors de cette réunion. Le salon Musical et la salle à manger Rose liés par un même destin architectural et par le caractère de leur ornementation, sont, si l'on peut dire, identiques. La salle du Belvédère se trouve à une hauteur de 31 mètres par rapport au niveau des eaux de la Baltique. Cet intérieur moderne du palais a été créé sur l'emplacement de l'ancien grenier. L'accent sémantique du Belvédère est un rostre de navire sculpté et doré représentant Niké tenant une couronne de la gloire placé au-dessus des fauteuils qu'occupent les personnalités en pourparler.

350. Le cabinet du grand-duc Constantin Constantinovitch

351. Le salon aux Méandres

352. La salle à manger Rose

351

352

SOMMAIRE

SAINT-PETERSBOURG

Editions d'art « Ivan Feodorov »
191119 Saint Petersbourg, 11, rue Zvenigorodskaïa
Tel./Fax: +7 (812) 320-92-01, 320-92-11
E-mail: info@p-2.ru
Imprimé sur les presses de l'Imprimerie
« Ivan Feodorov » (6742)

PRINTED AND BOUND IN RUSSIA